MITCH HOROWITZ

O HOMEM MAIS RICO DA BABILÔNIA:

PLANO DE AÇÃO

Título original: *The Richest Man in Babylon Action Plan*

O homem mais rico da Babilônia: plano de ação
1ª edição: Abril 2023

Autor:
Mitch Horowitz

Tradutor:
Luciene Ribeiro

Preparação:
3GB Consulting

Revisão:
Daniela Georgeto
Patrícia Alves Santana

Design original de capa:
Tom McKeveny

Projeto gráfico e adaptação de capa:
Jéssica Wendy

DADOS INTERNACIONAIS DE CATALOGAÇÃO NA PUBLICAÇÃO (CIP)

Horowitz, Mitch
O homem mais rico da Babilônia : plano de ação / Mitch Horowitz ; tradução de Luciene Ribeiro. — Porto Alegre : Citadel, 2023.
176 p.

ISBN: 978-65-5047-219-1

1. Finanças pessoais 2. Riqueza - Aspectos morais e éticos I. Título II. Ribeiro, Luciene

23-0711 CDD 332.024

Angélica Ilacqua - Bibliotecária - CRB-8/7057

Produção editorial e distribuição:

contato@citadel.com.br
www.citadel.com.br

MITCH HOROWITZ

O HOMEM MAIS RICO DA BABILÔNIA:

PLANO DE AÇÃO

*

CONSELHOS PRÁTICOS PARA SAIR DAS DIFICULDADES E CONQUISTAR A SUA LIBERDADE FINANCEIRA

Incluindo um resumo bônus do clássico original de George S. Clason

Tradução:
Luciene Ribeiro

2023

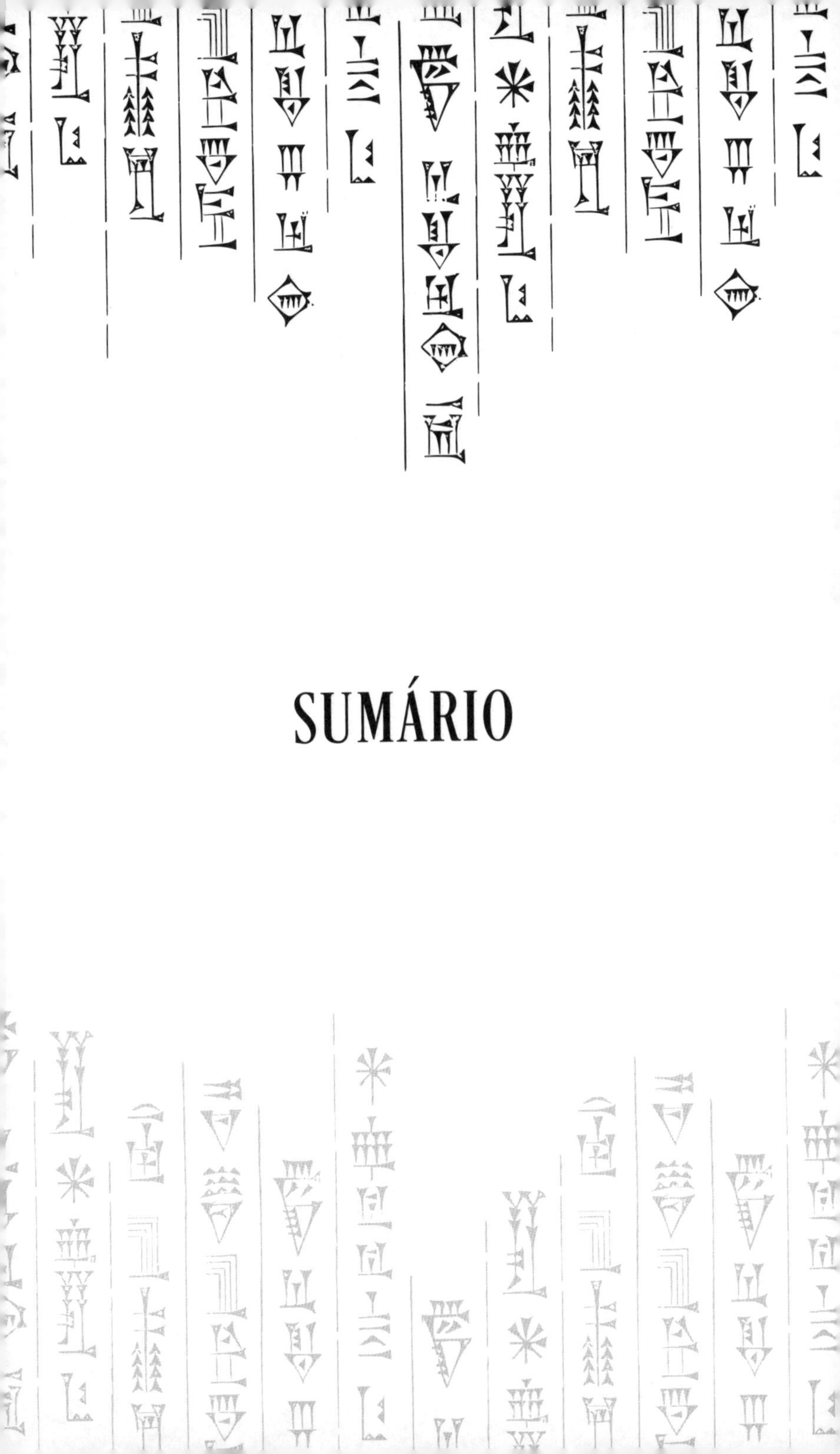

SUMÁRIO

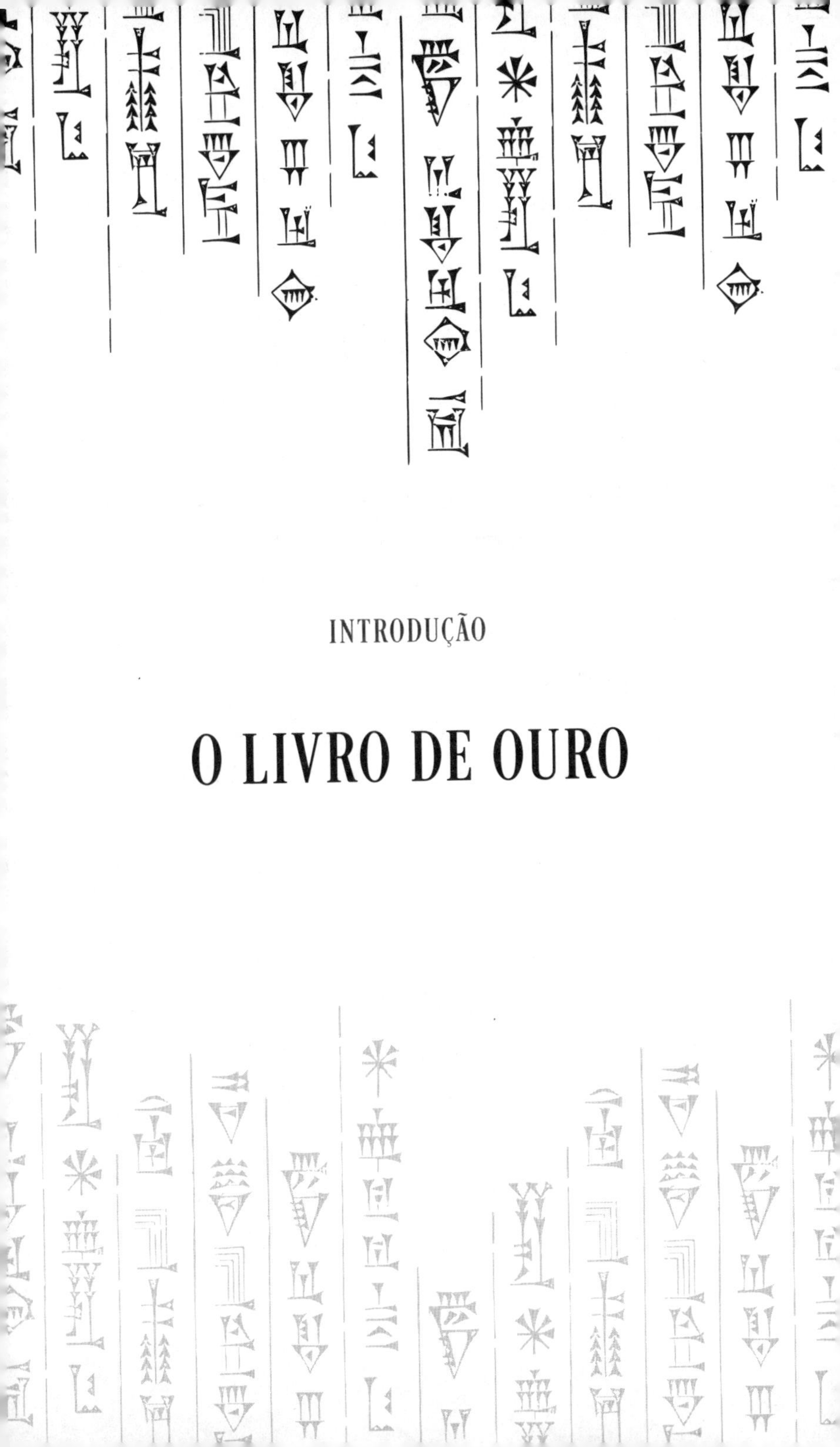

INTRODUÇÃO

O LIVRO DE OURO

A verdade, por sua natureza, não muda com o passar do tempo. E os princípios do clássico guia para a saúde financeira de George S. Clason, *O Homem Mais Rico da Babilônia*, permanecem tão úteis no século 21 como quando ele começou a escrever suas lições em forma de panfleto, em 1926, e a publicá-las em forma de livro quatro anos depois. A principal lição de Clason, o "pague-se primeiro" – que requer economia de pelo menos 10% de sua renda antes de gastá-la em qualquer outra coisa –, permanece como princípio em muitos guias financeiros.

No entanto, por mais que as lições de Clason sejam universais, não significa que elas não precisem ser atualizadas à luz dos desafios financeiros de nosso tempo. Escrevo estas palavras em meio à pandemia da covid-19, agora entrando em seu segundo ano. Nosso mundo está enfrentando uma crise econômica não muito diferente da Grande Depressão, que coincidiu com o livro original de Clason. Mas existem várias diferenças fundamentais:

1. **Custos com a saúde.** Clason escreveu *O Homem Mais Rico da Babilônia* em uma época em

que os cuidados médicos e os planos de saúde operavam em uma escala econômica diferente. Por essa razão, nenhuma menção ao custo exponencial da saúde aparece no texto de Clason, nem qualquer instrução de como podemos encaixar essa despesa fora de controle em nossas necessidades orçamentárias.

2. **Crise econômica.** Mesmo depois que nossa economia se recuperar da crise da covid-19, indivíduos e empresas enfrentarão sequelas de longo prazo, mudando a forma como trabalhamos e nos obrigando a equilibrar a poupança e o pagamento das dívidas com a necessidade de liquidez e dinheiro disponível.
3. **Custos de partida.** Como um crescente número de pessoas tem procurado emprego autônomo ou trabalho de longo prazo que possa ser realizado em casa, certo grau de custos iniciais – às vezes financiados por meio de dívidas – será necessário para cobrir as várias tecnologias e ferramentas do *home office*, trabalho autônomo ou empreendedorismo.

Neste "Plano de Ação", levo todas essas preocupações em consideração ao aplicar os conhecimentos das lições originais de Clason.

*

Antes de nos lançarmos na aplicação atual dos princípios de Clason, deixe-me oferecer algumas informações sobre o autor e sua obra. Clason apresentou *O Homem Mais Rico da Babilônia* como uma série de parábolas do antigo império da Mesopotâmia. Como mencionei, o autor é conhecido por ter cunhado a frase e princípio do "pague-se primeiro", o que significa economizar pelo menos 10% de seus ganhos e dedicar o restante de seu dinheiro para pagar dívidas, adquirir uma casa ou outras propriedades de investimento, cuidar de sua família e somente então se permitir gastar com os prazeres da vida.

A abordagem de Clason é uma estratégia de parcimônia. "Cada moeda de ouro que você guarda é um escravo que vai trabalhar por você", diz um de seus antigos personagens. Ele não pregava o ascetismo; na verdade, queria que a administração do dinheiro fosse encarada com um espírito de alegria e aventura – sem esquecer que a prudência vale a pena, trazendo-nos conforto e segurança. Esse é o objetivo de suas lições básicas de prudência e investimento seguro. E ele mesmo enriqueceu enquanto as oferecia.

No início do século 20, Clason fundou uma editora de mapas e atlas geográficos, com sede em Denver. Ele publicou o primeiro atlas rodoviário dos Estados Unidos e do Canadá. Em 1926, teve uma ideia que, mais tarde, salvou suas próprias finanças e preservou seu nome como um dos escritores de autoajuda mais populares do século passado e da atualidade. Clason começou a escrever uma série de panfletos sobre gestão das finanças pessoais. Bancos, companhias de seguros e corretoras os compravam em massa e os distribuíam gratuitamente a seus clientes. Os panfletos do cartógrafo se mostraram tão populares que em 1930 ele os reuniu em um único volume, que ele mesmo imprimiu em sua própria editora.

A Clason Publishing não sobreviveu à Grande Depressão. Mas *O Homem Mais Rico da Babilônia* sobreviveu – e nos anos seguintes emergiu como um dos pilares da literatura financeira popular.

A perspectiva de Clason era ardentemente favorável aos negócios. As empresas que vendiam seguros, emitiam hipotecas ou mantinham contas de poupança tinham tudo a seu favor. Clason endossou produtos financeiros modernos junto com uma ética de trabalho alegre e altruísta. No entanto, por toda a sua simpatia institucional, o livro de Clason também contém conselhos sólidos e princípios. Não há nele nenhuma só passagem inconstante ou irrealista.

*

Para mim, a seção mais eficaz do livro é o Capítulo Sete, "O vendedor de camelos da Babilônia", que trata do imperativo de pagar suas dívidas e dos sentimentos de nobreza que preenchem o coração daquele que o faz – mesmo que de forma gradual. Esse princípio me lembra de uma passagem do *Talmude* que li quando era adolescente: "Quem é o mau?", pergunta um rabino a seus alunos. Após a meditação, a resposta vem: "Aquele que toma emprestado e não retribui". Esta afirmação pode ser compreendida em muitos níveis; mas não se pode negligenciar o nível material.

Tenha em mente que as dívidas compreendem não apenas empréstimos monetários, mas também prazos ou obrigações em qualquer área da vida em que você tenha dado sua palavra. Se você prometeu completar uma tarefa, mesmo uma tarefa doméstica aparentemente pequena, ou comparecer a determinado encontro, então faça isso. Você ficaria surpreso com a importância que as pessoas dão a essas atitudes, inclusive de sua família. Não importa como você vê a si mesmo: você sempre será avaliado e definido por sua ética de trabalho. E por mais que esteja consciente disso, também experimentará internamente seu próprio senso de desempenho e confiabilidade; isso pode alimentar sentimentos de vergonha e raiva ou de dignidade e domínio de si mesmo.

É claro que é natural desculpar-se por aqueles momentos em que você se sente justificadamente atrasado ou quando falta a um compromisso: não existem exceções para circunstâncias imprevistas? Sim; mas você deve ser sempre muito disciplinado sobre tais assuntos. Como disse um amigo uma vez: "A única emergência real é uma emergência médica". Considere isso antes de atrasar uma dívida, um projeto ou um compromisso.

Clason ajudou a esclarecer outro princípio para mim: você deveria dedicar o dobro do dinheiro destinado à sua poupança para pagar suas dívidas. Economize imediatamente seus 10%, escreveu ele; mas 20% devem ir para as dívidas. A dívida é como um dreno, tanto em termos de juros quanto de reputação; o que hoje em dia também significa boa pontuação ou *score* de crédito.

O autor também nos adverte sobre fazer qualquer tipo de investimento, empreendimento ou colaboração financeira em negócios que não conhecemos. Isso pode soar como senso comum, mas acredito que não existe essa coisa de senso comum. O que existe é o *bom senso,* o que inclui fazer o nosso dever de casa. Por mais estranho que pareça, conheci investidores e credores que se mostraram indiferentes ao aprendizado dos princípios básicos sobre os campos de atuação ou negócios nos quais desejavam prosperar. Às vezes, eles eram muito confiantes. Certa vez, um capitalista de risco bilionário me disse: "Há muitas grandes ideias por aí. Mas muito mais raro do que grandes ideias é a grande execução. Quando invisto, procuro uma grande execução". Ele me contou muitas histórias de empreendedores que deixaram de fazer uma pesquisa elementar sobre os produtos com os quais procuravam lucrar. Tais histórias raramente têm finais felizes. Meu desejo é que este Plano de Ação, combinado com as ideias testadas por Clason, traga resultados felizes para você durante estes tempos difíceis e mais além.

*

Antes de começarmos, deixe-me acrescentar mais uma breve nota sobre a estrutura deste livro. Este Plano de Ação está organizado como uma série de "Lições de Ouro de Clason", nas quais apresento e demonstro uma aplicação prática e, quando necessário, atualizo as principais ideias do autor. Dentro dessas sete lições e dos aforismos que se seguem, acredito que vocês descobrirão novas maneiras de aplicar ideias duradouras.

O Plano de Ação não faz eco ao enredo narrativo de *O Homem Mais Rico da Babilônia* – mas você encontrará um pouco dessa história, junto com toda a gama de ideias de Clason, no resumo bônus de sua obra original, ao final deste volume. Nada substitui a leitura do livro de Clason na íntegra, mas o resumo é uma boa explicação e um complemento à edição de 1930.

Nesta jornada, acredito que você descobrirá o poder duradouro desses princípios sagrados e como aplicá-los em nossos dias.

Mitch Horowitz
Cidade de Nova York, 2021

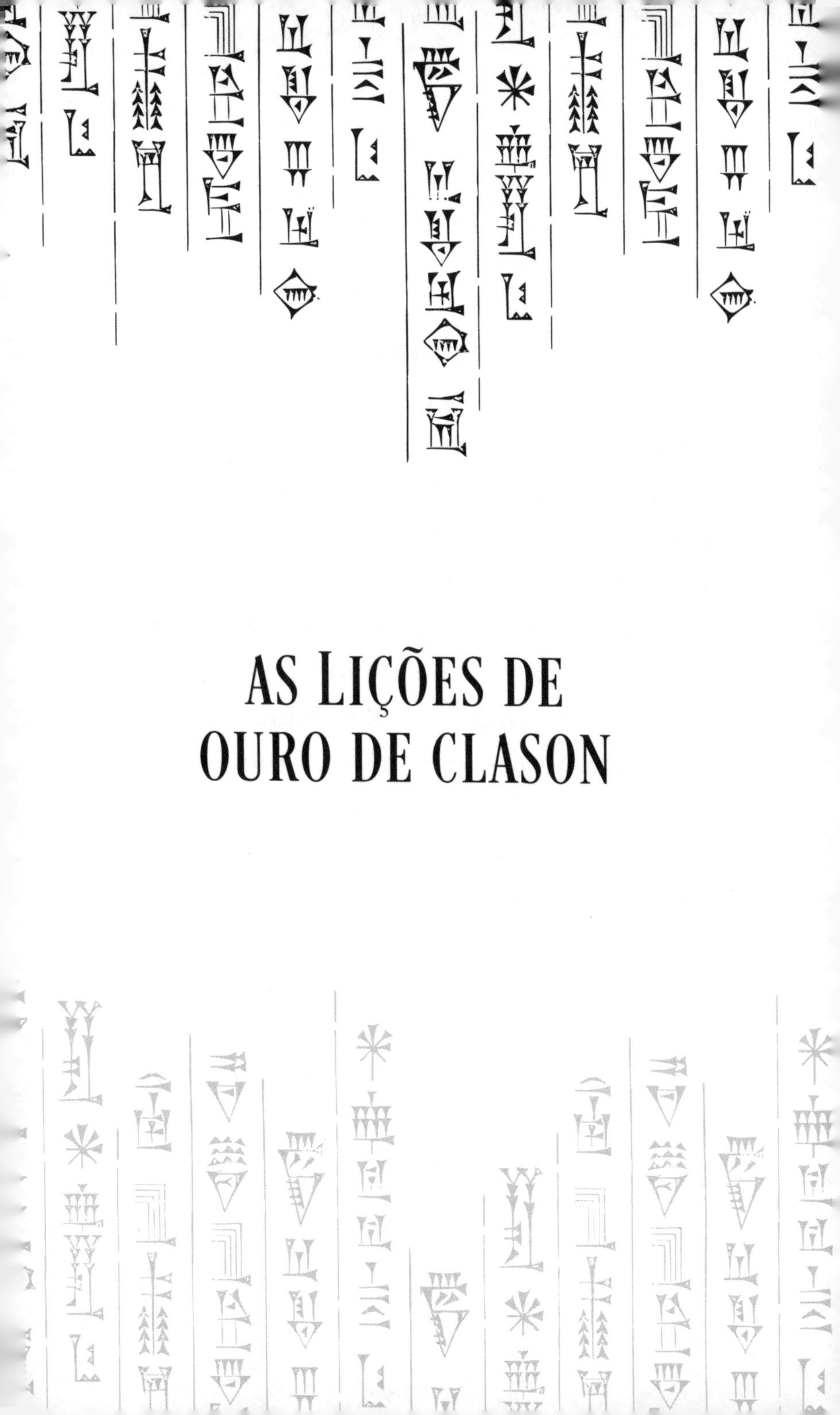

AS LIÇÕES DE OURO DE CLASON

Lição Um:
Pague-se primeiro (a lei dos 10%)

"Pague-se primeiro" é o mandamento fundamental de *O Homem Mais Rico da Babilônia.*

Você deve destinar pelo menos 10% de sua renda à poupança, assim que receber seu salário. Se trabalha em um emprego corporativo, os impostos provavelmente já serão retidos na fonte. Se for profissional liberal ou *freelancer*, aconselho subtrair esses 10% de sua renda líquida, após ter subtraído 30% para os impostos. E nunca deixe de reter esses 30%; com o tempo, isso irá lhe trazer mais tranquilidade do que você imagina, quer você pague impostos trimestralmente ou anualmente.

Essa economia de 10% pode ser maior, mas Clason reconhecia que é bem improvável que esse valor não seja percebido em sua renda. É uma soma séria, mas administrável. (Reconheço que, durante a pandemia de Covid-19 e outras crises, às vezes essa conta não fecha, ou pode se revelar algo impraticável; falaremos sobre isso na Lição Cinco). Essa prática compreende o princípio da acumulação. Um dos personagens de Clason observa:

> Cada moeda de ouro que você guarda é um escravo que pode trabalhar por você. Cada moeda que você ganha é como um filho, que também pode ganhar para você. Se quer se tornar rico, então tudo o que você economiza deve trabalhar por você, para proporcionar a riqueza que você tanto almeja. (...) Uma parte de tudo o que você ganha deve ser guardada para você. Não deve ser menos do que um décimo, não importa se você ganhar pouco. Pode ser muito mais, dependendo do que você ganhar; mas sempre pague a si mesmo primeiro. Não compre do alfaiate ou do artesão de sandálias mais do que você puder pagar com o resto.
>
> A riqueza, como uma árvore, cresce a partir de uma pequena semente. A primeira moeda de cobre que você economizar será a semente, da qual sua árvore de riqueza deve crescer. Quanto mais cedo plantar essa semente, mais cedo a árvore crescerá. E quanto mais fielmente nutrir e regar essa árvore com economias consistentes, mais cedo você poderá se satisfazer à sombra da árvore.

Não importa o tamanho de suas obrigações, Clason aconselha: separe esses 10% – como se fosse uma despesa vital e não negociável, como o aluguel ou a hipoteca. É o seu pagamento sagrado para si mesmo, que não pode mais ser negociado – assim como uma conta mensal que você considera básica para sua existência. Como Clason escreve: **"Uma parte de tudo o que você ganha deve ser guardada para você"**.

Lição Dois:
Controle seus gastos

Um dos personagens de Clason faz uma observação-chave: "Todas as pessoas carregam em seu coração mais desejos do que podem satisfazer".

Você nunca estará em condições de comprar tudo o que quiser. Isso é uma verdade, até mesmo para os muito ricos. Conheci pessoalmente um autor famoso que se tornou extremamente rico escrevendo *thrillers* populares. No entanto, estava sempre insatisfeito financeiramente. Olhava através do campo de golfe, na fazenda onde vivia, e avistava a casa de um magnata da tecnologia que era maior do que a sua. Esse autor tinha mais do que a maioria das pessoas poderia sonhar, mas sua *psique* estava sobrecarregada com uma sensação de falta.

Em um evento publicitário, ele chegou a fazer com que um de seus funcionários pagasse por uma xícara de café para ele, em um carrinho de rua. Não se trata de alguém que gosta de riqueza, mas que teme a falta dela. (Há uma consideração especial sobre o medo de perder dinheiro na Lição Sete.)

O que estou tentando dizer é que a construção de um orçamento e o reconhecimento de seus limites podem parecer atos sombrios ou deprimentes; mas cada um de nós, mesmo os mais ricos, deve fazer as pazes com alguma forma de controle financeiro. Ninguém pode comprar tudo o que vê ou deseja. Embora certo mínimo de renda seja necessário para ter conforto, nossos desejos tendem a aumentar em conjunto com nossos ganhos.

Clason resumiu essa situação com dois aforismos:

1. O que cada um de nós chama de "despesas necessárias" sempre crescerá junto com nossas receitas, a menos que protestemos em contrário.
2. Não confunda suas despesas necessárias com seus desejos.

Como vimos, o ato de fazer um orçamento é sempre algo que nos deixa desconfortáveis. Desejamos ter todas as coisas boas da vida, e impor limites a isso é como precisar se levantar da mesa sem ter saciado a fome. Mas, muitas vezes, essa situação é apenas uma questão de perspectiva. Esta é uma das passagens mais cativantes de Clason:

> Cada um de vocês, junto com suas boas famílias, deseja coisas além do que seus ganhos podem pagar. Dessa forma, vocês gastam tudo o que ganham para realizar seus sonhos à medida que eles aparecem. Mesmo assim, vocês ainda têm muitos desejos que não conseguem ser satisfeitos.
>
> Todas as pessoas carregam no coração mais desejos do que podem satisfazer. Ou vocês acham que, somente porque sou rico, posso realizar todos os meus sonhos? Há limites para o meu tempo. Há limites para a minha saúde. Há limites para a distância que posso percorrer. Há limites para o que posso comer. Há limites para os prazeres que posso desfrutar.
>
> Assim como as ervas daninhas crescem em um campo, se o agricultor deixar espaço para suas raízes, assim os desejos também crescem livremente no

coração daqueles que sempre podem saciá-los. Os desejos são uma multidão, mas aqueles que vocês podem satisfazer são muito poucos.

Estudem cuidadosamente seus hábitos, o modo de vida a que estão acostumados. Certamente encontrarão certas despesas que podem ser sabiamente reduzidas ou eliminadas. Adotem o hábito de reservar 1% do valor de cada moeda gasta.

Além disso, gravem sobre as tabuinhas de argila cada coisa com a qual desejam gastar. Selecionem as que são necessárias e as que será possível comprar com nove décimos de sua renda. Risquem as restantes, considerando-as apenas uma parte dessa grande multidão de desejos que devem permanecer insatisfeitos – e não se arrependam disso.

Façam um orçamento para as suas despesas necessárias. Não mexam naquele décimo que está engordando a sua bolsa. Esse é o maior desejo que vocês devem ter. Lembre-se: o propósito de um orçamento é ajudar sua bolsa a engordar. É ajudá-lo a ter suas necessidades e, na medida do possível, seus outros desejos. É capacitá-lo a realizar os seus mais queridos desejos, defendendo-os de suas casuais aspirações. Como uma luz brilhante em uma caverna escura, seu orçamento mostra os vazamentos de sua bolsa para que você os detenha e controle suas despesas com propósitos definidos e gratificantes.

Este, portanto, é meu segundo conselho: **faça um orçamento das suas despesas, para que possa ter dinheiro para manter suas necessidades, pagar pelos seus prazeres e satisfazer seus desejos mais valiosos sem gastar mais do que nove décimos de seus ganhos**.

Na Lição Cinco, que trata do pagamento das dívidas, revisitaremos a questão das despesas específicas – e quais delas trabalham a seu favor e contra você.

Lição Três:
Faça seu dinheiro se multiplicar

Clason nos aconselha a "fazer cada moeda produzir filhos". Com isso, ele se referia não apenas a poupar suas economias, mas também a dedicá-las a investimentos sólidos e seguros.

Nessa linha, quero compartilhar uma história pessoal. Recentemente, visitei a casa de um investidor de sucesso no Dia de Ação de Graças. Muitas pessoas sentadas ao redor da mesa eram analistas financeiros, investidores e frequentadores de Wall Street. Em certo momento, eu disse o seguinte: "Tenho uma pergunta para vocês, magos financeiros, e quero que sejam totalmente sinceros comigo. Por mais de vinte anos, investi apenas em fundos referenciados; e não apenas meus retornos de longo prazo foram excelentes, como também descobri que eles superam os rendimentos de vários fundos de *hedge* administrados por superastros da indústria. Estou certo de que, com o passar do tempo, os fundos referenciados terão melhores retornos do que praticamente todos os fundos estruturados, não é mesmo?". Todos eles concordaram.

Se você trabalha em uma empresa que tem um fundo de previdência complementar – exclusivo para funcionários dessa empresa –, peço que contribua com o limite máximo legal, ou trabalhe para isso. Fiz isso por muitos anos em uma empresa editorial, e fez toda a diferença em minha vida financeira. Um plano de previdência privada também é uma ferramenta muito útil.

Ao contribuir em fundos de investimento, o meu conselho (que reforça os conselhos de Clason de buscar um investimento sólido e seguro) é confiar nos fundos referenciados, que geralmente se recuperam mesmo após graves recessões econômicas. Durante a crise da Covid, na primavera de 2020, meu fundo perdeu quase metade do valor. Foi doloroso. Mas no final do ano eu já tinha mais do que recuperado todo o dinheiro perdido.

Não posso garantir que tais resultados continuarão a ocorrer no futuro, mas passei por essa experiência durante dois colapsos financeiros: a crise da hipoteca, em 2008, e o isolamento da Covid, durante o ano de 2020 (que persiste até agora, no início de 2021, quando escrevo estas palavras).

Como observamos, Clason era taxativo ao afirmar que devemos evitar "investir em um campo desconhecido", ou seja, em fundos que você não conhece. Escrevendo às vésperas e durante a Grande Depressão, ele tinha alergia a qualquer tipo de especulação financeira.

Tenho testemunhado pessoas perderem dinheiro – assim como a ética e, por vezes, a saúde mental – ao se aventurarem em campos aparentemente fascinantes, como tecnologia e mídia, sem fazer uma pesquisa apropriada, sem verificar os antecedentes e, principalmente, sem *vontade alguma* de colocar em prática a devida prudência. O momento certo para aprender a navegar não é quando estamos em mar aberto, mas sim antes de embarcar.

Lição Quatro:
Faça de sua casa um investimento lucrativo

Em termos de residência, alugar *versus* comprar é um debate eterno. Na época de Carson, vigorava o princípio da aquisição da casa própria e do patrimônio líquido adquirido. "Faça de sua casa um investimento lucrativo", escreveu ele.

No entanto, a crise hipotecária nos EUA – que desencadeou a grande recessão de 2008 – fez com que muitos consumidores passassem a desconfiar das ofertas de crédito e hipotecas "boas demais para serem verdade".

Nos anos anteriores a essa crise, muitos especuladores, investidores predatórios, instituições bancárias e fundos garantidores de crédito nos EUA fizeram vistas grossas e emitiram milhões de hipotecas insustentáveis, às vezes com taxas iniciais enganosamente baixas e, muitas vezes, com total ciência de que os mutuários não conseguiriam pagá-las. Em seguida, esses credores predatórios e gigantes financeiros transformaram esses empréstimos venenosos em títulos mobiliários para serem vendidos, negociados e apostados. Isso também incluía apostar no seu *fracasso*.

O mercado literalmente incentivou o fracasso e o sofrimento em massa de boa parte dos consumidores americanos. As perdas resultantes quase derrubaram o sistema bancário do país e criaram ondas de execuções hipotecárias, despejos e abandono de imóveis em uma escala, creio eu, que os americanos, como nação, jamais tenham presenciado – em nível emocional, financeiro, legal e ético.

A hipoteca é uma ferramenta maravilhosa, mas deve ser abordada com cautela e conservadorismo fiscal.

Sou um habitante urbano que prefere alugar em vez de possuir. Estou quebrando a regra de Clason? Até certo ponto, sim. Mas os analistas financeiros estão divididos sobre o assunto. Os benefícios de comprar uma casa que aumenta de valor enquanto pagamos uma hipoteca de trinta anos são claros e inegáveis. No entanto, alguns argumentam que os custos de moradia não se limitam ao pagamento da hipoteca: sob quase todas as circunstâncias, você precisará sustentar um fluxo mensal de despesas para o financiamento e a manutenção de sua casa.

Portanto, o aluguel pode não ser o maior bicho-papão sugador de dinheiro que existe, especialmente se você estiver usando seu dinheiro e sua casa produtivamente de outras maneiras.

Durante a crise da Covid, por exemplo, muitos de nós passaram a trabalhar em casa. Isso pode permanecer como uma tendência duradoura nos próximos anos. Como escritor, eu já trabalhava em casa havia muito tempo, e isso já fazia parte da minha vida.

Se você aderiu ao *home office,* é vital analisar as vantagens financeiras e as deduções fiscais apropriadas ao espaço doméstico e investir em utilidades e equipamentos que facilitem o trabalho em casa. Não deixe de pensar nisso.

Para os próximos anos, também é importante observarmos cuidadosamente a maneira como os empregadores poderão permitir e incentivar – ou mesmo exigir – que os funcionários trabalhem em casa. Pense nisto: é uma grande vantagem para os empregadores. Você fornece o espaço de trabalho e é responsável pela sua organização; muitas vezes, também banca a tecnologia e quase sempre os equipamentos, energia e manutenção. De fato, estamos em transição para uma nova era, na qual os empregados efetivamente serão como vassalos de um território não remunerado para seus empregadores. Se isso continuar – e, de certa forma, certamente continuará –, novas leis trabalhistas, proteções e deduções fiscais serão necessárias para atender a essa mudança na vida profissional.

Se você for um cético como eu, provavelmente tem pouca fé de que um dia a legislação trabalhista dará conta de cobrir tudo isso de maneira totalmente satisfatória; portanto, é vital compreender as leis tributárias atuais e colocar em prática aquelas que reconhecem o valor que você investe na configuração do seu trabalho doméstico.

Hoje em dia, o seu lar pode se desdobrar como o seu local de trabalho. Saiba aproveitar os benefícios de ambos.

Lição Cinco:
As dívidas são suas inimigas

Em um ponto vital e frequentemente negligenciado, Clason escreveu que você deve dedicar o dobro de suas economias regulares – aquele mínimo de 10% – para pagar suas dívidas. Ou seja: devo guardar 10% e me esforçar para pagar as dívidas com outros 20%.

De fato, Clason pede que você faça tudo o que puder – tanto financeiramente como por uma questão de determinação pessoal e ética – para ficar livre das dívidas.

Há uma dimensão de bem-estar psicológico e de autoestima quando se paga uma dívida. Em *O Homem Mais Rico da Babilônia,* um personagem diz a outro:

> O nosso grande rei não luta contra seus inimigos de todas as maneiras possíveis e com todas as forças que tem? Pois bem, as suas dívidas são suas inimigas. Elas o expulsaram da Babilônia. Você as abandonou, e elas se tornaram fortes demais para você. Se tivesse lutado contra elas como um homem, poderia tê-las vencido e ser um homem honrado entre os habitantes da cidade. Mas você não teve coragem para combatê-las, e eis que o seu amor-próprio foi diminuindo, até você se tornar um escravo na Síria.

O personagem que ouve essas palavras retorna à Babilônia com a firme determinação de limpar seu nome e pagar suas dívidas, por fim consegue. Como observamos, Clason acreditava que é necessária uma dose significativa de moral e autoestima para sustentar a determinação de quitar suas dívidas. Particularmente, creio que isso é uma grande verdade.

Nem preciso falar sobre os perigos da dívida rotativa nos cartões de crédito, que em geral carregam taxas de juros anuais de mais de 20%. (Os juros do cheque especial são ainda mais altos – evite-os como se fossem fios elétricos expostos, a não ser em uma emergência.) Os efeitos dos juros compostos podem ser espantosos. Certa vez, o bilionário Mark Cuban foi convidado a dar conselhos financeiros essenciais para as pessoas comuns. "Não use cartões de crédito", disse ele.

Para um bilionário, tal conselho parece simples – e o respeito. Mas também conheço as pressões do mundo real que levam ao endividamento, incluindo o cartão de crédito com juros altos. Isto é fato: em algum momento da vida, quase todos nós vamos usar cartões de crédito para comprar coisas de que precisamos, sejam elas médicas, educacionais ou relacionadas ao trabalho. Nesses casos, você pode tentar contrair um empréstimo a juros baixos para consolidar e pagar a dívida.

Alguns bancos até oferecem tais empréstimos com o próprio saldo restante do seu cartão – *mas tenha cuidado*: embora esses empréstimos possam ter uma taxa de juros fixa anual na média de 8,99% (menos da metade da taxa média do seu cartão de crédito), eles frequentemente vêm com um cronograma de altos pagamentos mensais. Assumi-los é o equivalente a marcar um ataque do *Dia D* para a sua dívida. Esteja preparado para isso.

Cartões de crédito ou qualquer tipo de empréstimo são venenosos quando são usados para pagar luxos e futilidades. Um conselho: sempre compre ou alugue um carro um degrau abaixo de suas possibilidades. Um advogado me disse que sabe que um cliente é responsável quando ele dirige um carro abaixo de seu padrão; isso é um indicador infalível de responsabilidade financeira.

Em termos de acessórios pessoais, é muito melhor pagar em dinheiro por um ou dois itens de qualidade, como um casaco de couro Schott ou uma saia Chanel, do que ter um armário cheio de coisas mais simples compradas a crédito. Uma amiga que estudou moda em Paris me contou que uma de suas professoras ia à faculdade todos os dias usando a mesma saia

Chanel preta. No início, ela achou estranho. Depois percebeu que a professora estava exemplificando um princípio. Em Roma, os melhores taxistas usam roupas de grife. Em muitos casos, é o único terno que eles têm. E eles sempre estão impecáveis.

Moda ou artigos de consumo à parte, insisto nesta questão: quais são as despesas apropriadas ou necessárias? Nessa área, sou guiado pelo ensaio *Riqueza*, de Ralph Waldo Emerson, escrito em 1860. O filósofo transcendentalista declara, com todas as letras, que todo ser humano "nasce para ser rico". E quando Emerson fala em riqueza, ele quer dizer dinheiro real, em espécie. Mas ele também identifica o acúmulo de capital como algo próprio apenas das pessoas que o utilizam para *fins produtivos*. Emerson escreve:

> Todo homem é um consumidor e deveria também ser um produtor. Ele não conseguirá encontrar seu lugar no mundo a menos que não apenas pague suas dívidas, mas também deixe um legado para o bem comum. Ele não fará justiça ao seu gênio a menos que exija do mundo alguma coisa maior que sua mera subsistência. Ele é caro por essência e precisa ser rico.

Emerson conclui que "somente as aquisições que expandem seu poder e suas habilidades" nos tornam mais ricos. Por um lado, a riqueza que não acompanha nenhum crescimento é jogada fora. "O homem tampouco enriquece", escreve ele, "ao repetir os velhos hábitos de sua natureza animal". Por outro lado, você enriquece quando aumenta sua capacidade de ganhar, de fazer e de crescer.

Quando você pensar em fazer uma compra além de suas necessidades básicas, pergunte a si mesmo: existe um *circuito de retorno* com relação a esse item ou estou apenas gastando dinheiro por impulso? A riqueza propriamente dita é o poder – e o poder deve ser renovável. Tenha isso em mente sempre que gastar qualquer recurso, incluindo seu tempo.

Em suma, o conselho de Emerson é *gastar de forma a aumentar sua capacidade de ganhar.* Em termos atuais, significa investir em tecnologia, capacitação e ferramentas para sua profissão, arte ou negócio. "Aqueles que procuram aprender mais sobre sua profissão serão ricamente recompensados", escreve Clason. Sob essa ótica, qualquer coisa que *aprimore suas habilidades* é uma despesa digna e, para mim, uma razão legítima para assumir dívidas, se for gerenciada e monitorada adequadamente.

*

Uma vez que estou escrevendo estas palavras durante a pandemia de Covid, que abalou e tem abalado as finanças de quase todas as famílias, devo acrescentar uma advertência especial. Durante os períodos de crise financeira, é vital manter a *liquidez*. É preciso ter dinheiro em mãos. Nesses casos, é aconselhável deixar de pagar as dívidas (não deixando de administrar pagamentos mínimos legais) para sustentar seu acesso ao dinheiro.

Dependendo da taxa de juros de sua dívida, você pode optar por suspender temporariamente sua poupança de 10%. Por sua vez, a poupança de 10% pode ser utilizada para ter dinheiro em caixa enquanto o pagamento da dívida não se traduz necessariamente em liquidez. Em todo caso, às vezes é necessário quebrar essa regra a fim de manter a solvência durante períodos de crise. Mas somente quebre ou suspenda tal regra em momentos de verdadeira urgência.

*

Finalmente, devo dizer algumas palavras sobre uma fonte de dívida que Clason não abordou e que não tinha em sua época a relevância que tem na atualidade: despesas médicas e plano de saúde. A saúde, as receitas médicas e os planos de saúde representam uma grave dificuldade financeira, e muitas vezes impossibilidade, para milhões de pessoas. Reformas políticas podem eventualmente controlar os preços farmacêuticos, criar uma opção pública (como o SUS brasileiro ou o Medicare americano) ou alguma outra forma de plano acessível (uma renda básica universal, juntamente com o controle de preços) para proteger os consumidores que lidam com companhias de seguro inflexíveis e enganosas. Este último problema poderia ser solucionado com leis que regulamentem e tornem mais transparentes os sistemas incompreensíveis de codificação que as seguradoras utilizam para negar ou atrasar as coberturas.

Até que as reformas cheguem (e isso se um dia chegarem), meu princípio operacional é que a maioria dos planos de saúde é uma quadrilha de crime organizado que nos oferece um ímã de geladeira.

Portanto, seus "serviços" – que são baseados em um modelo de receber a maior mensalidade possível e pagar o menor número possível de coberturas – devem ser abordados com prudência e cautela.

Se você trabalha em uma empresa ou sindicato e tem um bom plano de saúde, é um abençoado. No entanto, mesmo esses planos apresentam algumas lacunas e o aprisionam em um modelo de grupo, no qual você tem pouquíssimas escolhas como consumidor. Se você é trabalhador autônomo, prestador de serviços ou empresário, as opções se tornam mais escassas e estressantes. A maioria dos escritores de finanças pessoais ignora ou encobre essa realidade em seus programas de riqueza e prosperidade.

Em 2015, por exemplo, muitos jornalistas financeiros se debruçaram sobre o caso de um zelador de Vermont que morreu com oito milhões de dólares no banco, os quais ele deixou para a biblioteca e o hospital locais. Soa como uma grande parábola americana: o "milionário da casa ao lado" fazendo o bem, depois de uma vida inteira de poupança e parcimônia. E o caso se torna ainda mais comovente porque o filantropo autossuficiente era um trabalhador. Mas a cobertura jornalística omitiu um fato crucial. Esse homem lutou na Segunda Guerra Mundial – e aí está a resposta: *ele tinha um auxílio-saúde vitalício da Associação dos Veteranos*. Foi isso que tornou tudo possível.

Conheço um cuidador de gatos em Manhattan que acumulou um enorme patrimônio por meio de seu plano de previdência privada. Ele é um excêntrico maravilhoso que vive em um apartamento barato e alugado, foge da cultura digital, da TV a cabo e do serviço celular. Não costuma comer fora de casa e abre mão da maioria dos confortos. Ele é quase como um Thoreau urbano. Assim como o zelador, ele também é milionário. E, como seu homólogo, também é um veterano – nesse caso, da Guerra do Vietnã. Ele também tem um auxílio-saúde vitalício, que o ajudou a superar uma doença terrível.

Se esses homens parcimoniosos não tivessem um auxílio-saúde, todo o dinheiro que eles sabiamente pouparam teria sido dizimado por uma única emergência médica, uma doença crônica ou o pagamento de seu próprio plano de saúde. Simples assim. Poucas pessoas que escrevem sobre estratégias de investimento ou finanças pessoais falam sobre isso. Precisamos de mais pessoas trabalhando no jornalismo financeiro que saibam o que significa pagar por um plano ou arcar com custos de saúde sem uma rede corporativa ou familiar.

Para *freelancers* e empreiteiros, eu gostaria de ter uma fórmula mágica para oferecer, mas infelizmente não tenho. Se você tem filhos, então precisa ter um plano de saúde; isso é indiscutível. Se é solteiro, analise cuidadosamente a questão da saúde. A maioria dos planos de saúde com preços acessíveis tem cobertura limitada, não inclui receitas médicas e exige franquias altas. Você deve ponderar se eles valem a pena.

Eu gostaria que existissem planos de cuidados ambulatoriais, que realmente reduzissem os custos e pudessem nos auxiliar em caso de emergência; mas esses são difíceis de encontrar, especialmente se você tiver mais de 40 anos.

Tudo o que estou realmente tentando dizer é: se você for trabalhador autônomo, faça uma pesquisa cuidadosa (inclusive em cooperativas e fundos mútuos na área da saúde). Considere as coberturas, e se fazem sentido para você, e pense de maneira flexível em suas necessidades.

Lição Seis:
Aumente sua capacidade de ganhar

No final de 2020, fiquei comovido com a sinceridade de um terapeuta, que escreveu no Twitter: "Como terapeuta, posso dizer com confiança que, embora a terapia seja útil, o que a maioria das pessoas realmente precisa é de dinheiro". Dado que o número de *retweets* ultrapassou cem mil, essa honestidade claramente tocou muitas pessoas. Houve também muitas críticas. Pessoalmente, considerei sua declaração um reconhecimento importante.

Clason observou também que às vezes – na verdade, muitas vezes – as pessoas simplesmente precisam de dinheiro. Podemos identificar três passos em sua visão sobre como ganhar mais. Eles parecem simples. Mas não se deixe enganar. Somente quando você se dedica a aplicar uma ideia aparentemente simples é que suas dimensões se tornam claras. É por isso que os cínicos raramente chegam à verdade das coisas, pois eles enxergam a simplicidade como uma ingenuidade. A simplicidade é a linguagem da verdade.

Aqui estão os três passos de Clason:

1. **Você deve desejar sincera e poderosamente ganhar mais.** Não é isso que todos querem? Bem, não exatamente. Isso não significa ter um sonho genérico de "ficar rico". Ou uma atitude de "claro, por que não?". Significa um desejo ardente e específico de aumentar sua capacidade de ganhar. E seja específico: quanto você quer ganhar? E como? Não hesite. Estabeleça uma quantia. Para obter ajuda nessa área, recomendo a leitura da obra de Napoleon Hill, *Quem pensa enriquece* (*Think and Grow Rich*). Se você já leu, leia novamente. Releio esse livro uma vez por ano. Muitas vezes, aconselho os leitores a fazerem os exercícios propostos como se suas vidas dependessem disso. Se você fizer isso, as coisas mudarão para melhor.
2. **Uma vitória naturalmente leva à outra.** O que fazemos em uma microescala pode ser repetido em uma macroescala. "É do pequeno que se faz o grande", já diz o ditado. Ganhar um dinheiro extra é uma pequena vitória. Isso pode exercitar sua capacidade e geralmente leva a ganhar mais. Não exagere, para não ficar desapontado.

Mantenha-se focado, lúcido e ativo. Quando você tiver sucesso, terá descoberto um pote de ouro.

3. **Cultive suas habilidades e busque a excelência.** Este princípio engloba muitas coisas. Você deve não somente fazer um trabalho bom e eficiente, mas também acompanhar a tecnologia de sua área de atuação. Isso nem sempre é fácil para mim. Sou um *tech-shy*: um pouco relutante com novas tecnologias, mas sempre me esforço para me manter atualizado. Outra coisa que cultiva a excelência é a sobriedade. Como muitas pessoas, gosto de bebidas alcoólicas e outras coisas inebriantes. Mas elas podem perturbar os padrões do sono, fomentar a letargia e contribuir para pensamentos negativos ou obsessivos. Mesmo que temporariamente, pare de beber ou usar drogas recreativas quando quiser ganhar mais dinheiro. É uma verdadeira ajuda, e isso está totalmente em suas mãos. Em 2018, o comentarista conservador Tucker Carlson fez esta observação *simples* – mais uma vez, preste atenção a essa palavra: "As escolhas são importantes, com certeza. Parei de beber para ter mais sucesso – e funcionou". E aqui vai mais um ingrediente para alcançar a excelência

e uma boa reputação: pague suas dívidas rapidamente, principalmente a profissionais liberais e *freelancers*. Esse ato fomenta a cortesia e a lealdade. Essas pessoas dependem de seu pagamento pontual, assim como você depende de seu salário. Pague-os rapidamente, e eles serão dedicados aliados em seus esforços.

Aprofundando o assunto sobre como ganhar mais dinheiro, quero voltar ao clássico e negligenciado artigo intitulado *Riqueza*, de Emerson. Este filósofo delineou três passos para acumular dinheiro: 1) Primeiro, garanta as necessidades não negociáveis e a subsistência de sua própria vida: foi isso que impulsionou os agricultores primitivos, os caçadores-coletores e os primeiros camponeses. 2) Em seguida, use seus talentos naturais e particulares, que podem ajudar com as necessidades das outras pessoas. Se você não conhece ou não compreende seus talentos, deve começar por aí, antes de qualquer coisa. Seu talento particular é uma fonte de excelência. 3) Use sua riqueza para fins produtivos: pagar dívidas, fazer investimentos, adquirir ferramentas e capacitação para o seu trabalho. Construir e expandir são as únicas formas sólidas de acumular dinheiro. E tais esforços refletem sua ética e sua determinação, como um ser em crescimento.

Além disso, quando alguém oferecer alguma oportunidade para ganhar, aja de forma decisiva. Não hesite. Certa vez, ofereceram-me um enorme contrato para um livro, e eu me sentia despreparado. Mas me decidi rapidamente e disse que sim. Foi uma das melhores decisões da minha vida. Quando eu era mais jovem, minha mãe me dizia para nunca recusar um bom trabalho ou um bom negócio. Esse foi um ótimo conselho.

Fico absolutamente chocado quando vejo lojistas, gerentes ou empresários recusando negócios. Na verdade, eles estão recusando pessoas que querem pagar por um serviço e que precisam de seus serviços. Vi isso ocorrer muitas vezes, mesmo durante a recessão da Covid. No Brooklyn, em Nova York, onde moro, testemunhei lojas de computadores e bicicletas recusando clientes – ou evitando-os, exigindo semanas de espera – em vez de expandir, contratar novas pessoas (que sempre é uma coisa muito produtiva a se fazer para sua comunidade, especialmente durante uma recessão) e abraçar novos negócios. Para mim, recusar trabalho é uma das práticas mais infames que existem. Há sempre uma desculpa para dizer não, mas raramente é uma boa desculpa. Não seja esse tipo de pessoa.

*

O cultivo da excelência e do propósito é tão importante para mim, assim como foi para Clason, que eu gostaria de retomar a questão por um ângulo diferente. Em 1854, o cientista pioneiro e médico infectologista Louis Pasteur disse em uma palestra: "Nos campos da observação, o acaso favorece apenas a mente preparada". Esta afirmação tem sido popularmente abreviada – e, creio eu, com muita precisão: "O acaso favorece a mente preparada". Se você quer potencializar as oportunidades de ganho em sua vida, faça disso o seu lema.

As oportunidades são úteis apenas para aqueles que estão preparados para elas – e quanto maior for a preparação, mais você será capaz de aproveitá-las plenamente quando elas chegarem. Preparação significa treinamento, capacitação, estudo, confiabilidade, manter sua palavra e estar pronto para realizar qualquer tarefa que você decidir enfrentar. A preparação aumenta todas as chances ao seu redor; ela assegura que você estará no estado mental correto para perceber, receber e aproveitar as oportunidades. É por isso que não acredito em oportunidades "vindas do nada". Oportunidades fazem parte de um contexto.

O escritor motivacional Dale Carnegie começou sua carreira no início do século 20 como professor de oratória. Como ex-ator, Carnegie percebeu que falar em público estava se tornando uma habilidade comercial vital nos anos que se seguiram à Primeira Guerra Mundial. Quando se preparava para uma palestra ou um discurso, Carnegie dizia que acumulava tanto material que podia descartar 90% dele quando realmente estava falando. O próprio fato de estar preparado dava a ele a confiança e o poder para falar sem medo e proporcionar uma *performance* relaxante, leve e entusiasmada.

A fórmula de Carnegie é uma receita para bons resultados em todas as áreas da vida. Uma vez que você esteja preparado e confiante, e seja especialista em uma tarefa ou projeto, poderá observar, ouvir, intuir, e será uma fonte de ideias e dicas importantes. Uma preparação adequada irá torná-lo persuasivo. Suas ações serão naturais e sem esforço. Você poderá ousar. Vai exalar confiança. Vai adquirir uma exuberância infantil.

Quando as oportunidades surgirem em sua frente, tais como uma vaga de emprego, uma audição, uma apresentação de última hora ou mesmo ficar sentado ao lado de seu chefe ou de um gerente sênior durante um voo (estou ficando otimista sobre um mundo pós-Covid), a pessoa preparada será capaz de agarrar esse momento dourado. Lembre-se sempre: **o acaso favorece a mente preparada**.

Lição Sete:
Não se deixe dominar pelo medo

Clason aborda o tema do dinheiro e do medo apenas indiretamente. Mas acho que o papel do medo nas finanças pessoais requer maior aprofundamento e exploração.

O fato é que muitos de nós crescemos com medo, e somos controlados por atitudes de medo em relação ao dinheiro. Isso é natural. Nenhuma outra qualidade humana, além da sexualidade, é mais repleta de emoções tão grandes ou complexas do que o dinheiro. É por isso que muitas vezes somos propensos a ações irracionais em torno do dinheiro, incluindo gastos maciços com dívidas ou a quebra de laços familiares e amizades por causa de disputas financeiras.

A emoção governa o dinheiro. Essa é uma verdade central da vida. Como tal, o medo muitas vezes nos controla quando se trata de administrar dinheiro, ganhos, dívidas e uma sensação de segurança financeira. Isso pode influenciar nossas tomadas de decisão e minar nosso entusiasmo pela vida. Escrevo estas palavras por experiência própria. Tive uma infância devastada pela crise financeira, e isso me marcou para sempre.

No entanto, na idade adulta, também percebi que o medo – se pudermos chamar de "medo" a necessidade legítima de segurança em momentos de crise – raramente produz um julgamento sadio ou boas respostas relacionadas ao dinheiro ou qualquer outra coisa. Na realidade, o medo é a maior barreira para o nosso progresso pessoal e nossa capacidade de ação. A própria procrastinação é um tipo de medo, e é provavelmente a forma mais comum (e negligenciada) que o medo pode assumir. Observe isso cuidadosamente em conexão com a lição anterior, sobre excelência e autodesenvolvimento.

Ao iniciar qualquer novo empreendimento, em um momento ou outro, é provável que você se sinta palpavelmente dominado pelo medo. Dependendo de sua natureza, você pode experimentar essa sensação constantemente, ou pelo menos com mais frequência do que gostaria. Você também pode experimentar a paralisia do medo ao enfrentar decisões ou problemas financeiros. A certa altura, isso acaba acontecendo com todo mundo. Meu desejo é que você use a crise como um gatilho para a ação. "A oposição é a verdadeira amiga", escreveu o poeta William Blake. Só crescemos quando somos desafiados. Mas nunca poderemos crescer se o medo nos dominar.

Nesse sentido, trago aqui uma condensação dos conselhos imensamente importantes de Napoleão Hill sobre o medo, extraídos de seu livro *Quem pensa enriquece,* de 1937, que já mencionei anteriormente. Sempre que você se sentir atormentado pelo medo, inclusive no meio da noite ou nas primeiras horas da manhã, quando deveria estar dormindo, quero que reflita sobre esta breve passagem. (Pode haver momentos em que eu mesmo esteja causando isso em você.) É uma verdade absoluta. Deixe que isso sirva a você como um farol, para guiá-lo pelos corredores do medo. Se você achar esta passagem útil, escreva--a, pendure-a em algum lugar onde você possa vê-la – e compartilhe-a.

> Nunca devemos negociar com o medo, nem nos render a ele. Ele retira o apelo de nossa personalidade, destrói a possibilidade de um pensamento preciso, desvia a concentração de esforço, sufoca a persistência, reduz nossa força de vontade a nada.

Ele apaga a ambição, turva nossa memória e convida ao fracasso de todas as formas possíveis.

O medo mata o amor e assassina as mais puras emoções do coração; desestimula a amizade e leva à insônia, à miséria e à infelicidade.

A emoção do medo é tão prejudicial e destrutiva que, quase literalmente, é a pior coisa que pode nos acontecer.

Se você sofre com o medo da pobreza, tome a decisão de prosperar com qualquer riqueza que conseguir acumular. VIVA COM TRANQUILIDADE.

Se você tem medo de ficar sem amor, decida-se a seguir em frente sem amor, se for necessário.

Se experimentar um sentimento geral de preocupação, saiba que *nada do que a vida tem a oferecer vale o preço do medo.* Isso colocará uma Verdade Suprema sobre seus ombros.

E lembre-se: o maior de todos os remédios para o medo é um DESEJO ARDENTE DE GANHAR MAIS, sustentado por uma ação prática em busca de seu objetivo.

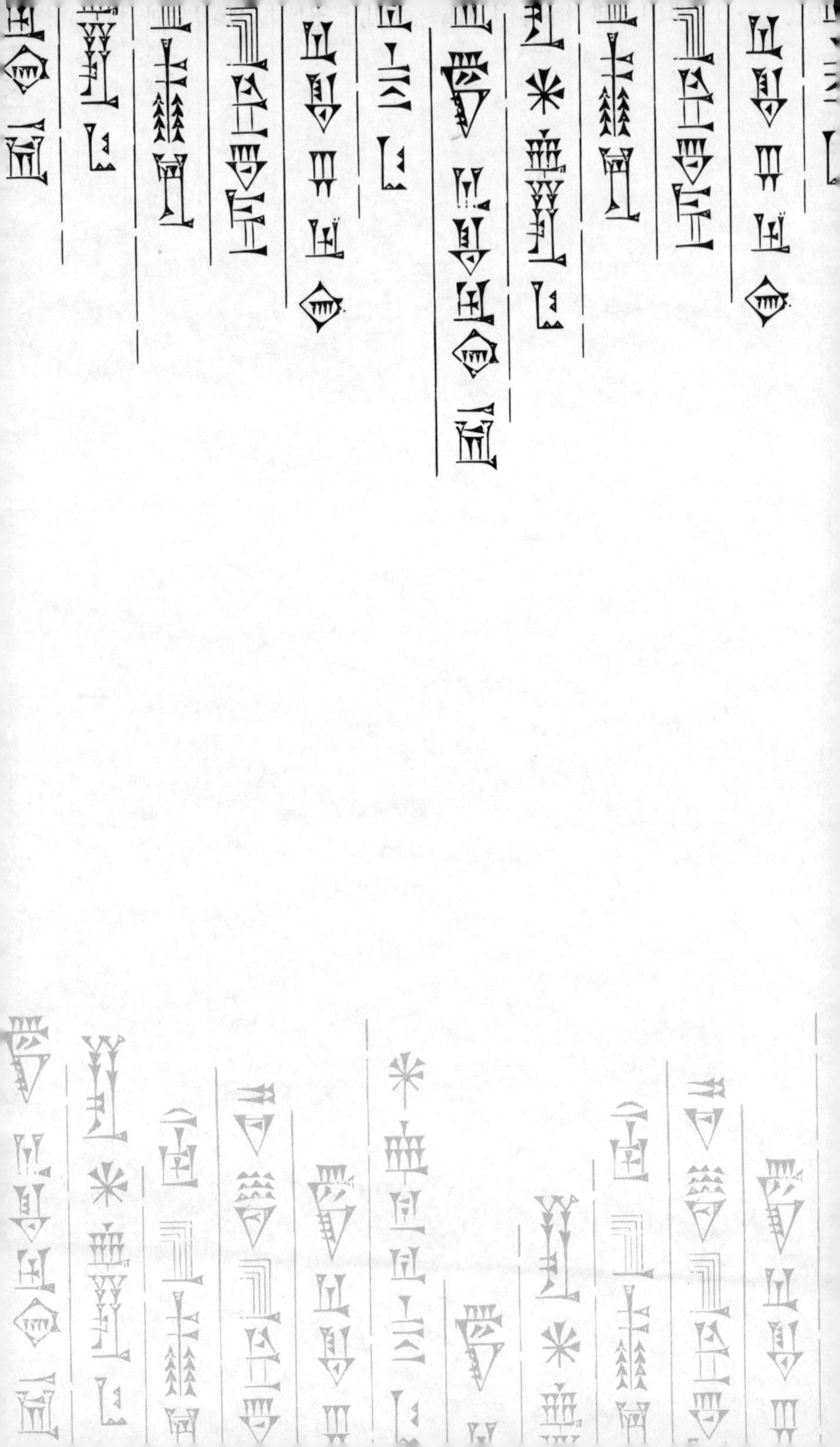

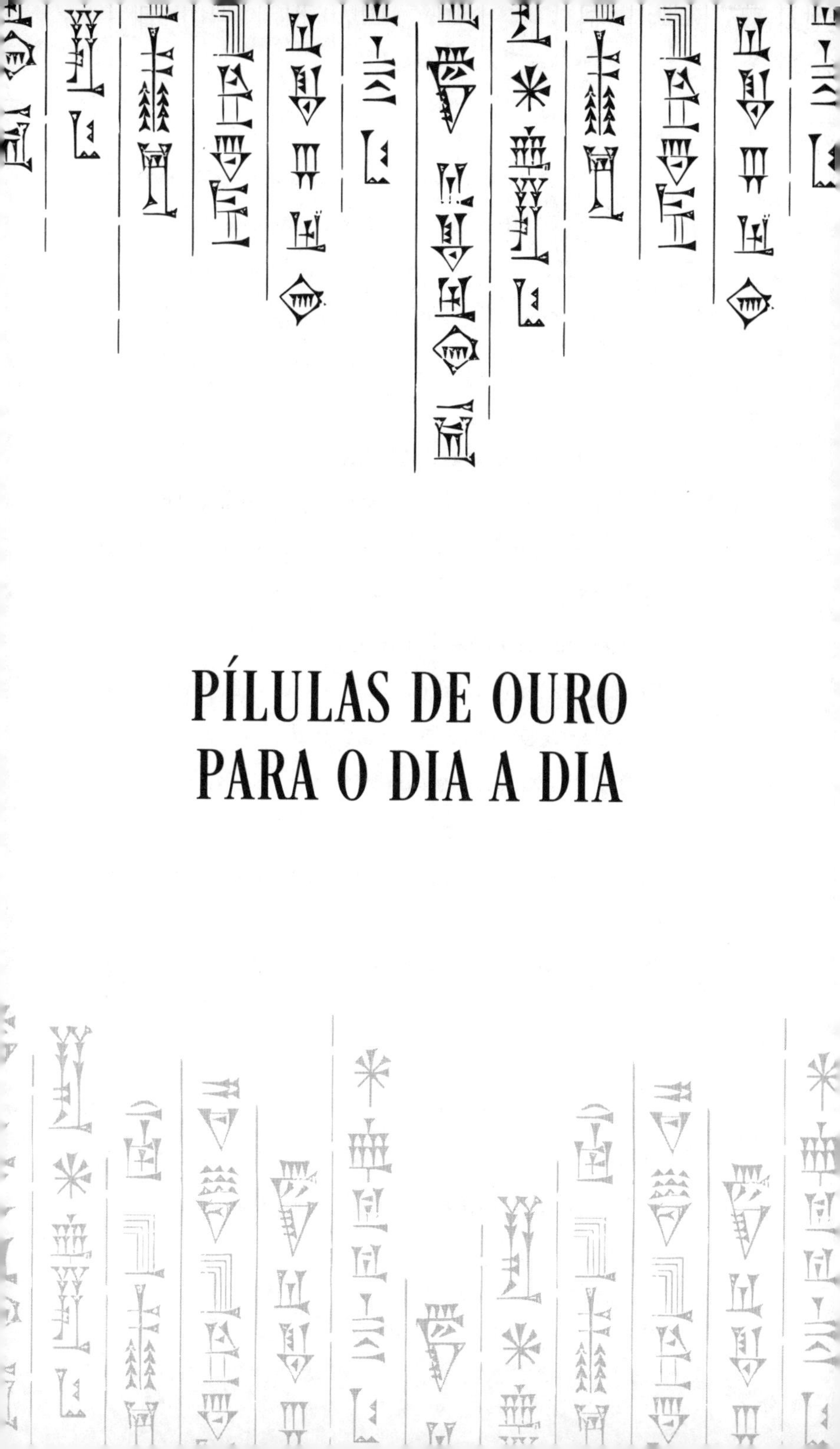

PÍLULAS DE OURO PARA O DIA A DIA

A seguir, apresentamos uma coleção de aforismos e pensamentos de George S. Clason, extraídos do livro *O Homem Mais Rico da Babilônia*. Cada um deles é uma lição em si mesmo.

1. A verdade é sempre simples.

2. Não há sequência de desastres que nunca termine.

3. Onde estiver a sua determinação, ali estará o seu caminho.

4. As dívidas são suas inimigas.

5. O pagamento das dívidas supera a poupança. Um décimo para a poupança; dois décimos para as dívidas; sete décimos para a casa e a família.

6. O dinheiro é a medida para o sucesso terreno.

7. Não custa nada pedir conselhos sábios a um bom amigo.

8. Riqueza é poder. Com riqueza, muitas coisas são possíveis.

9. Cada moeda de ouro que você guardar é um escravo que trabalhará por você.

10. A oportunidade é uma deusa caprichosa, que não perde tempo com aqueles que não estão preparados.

11. A força de vontade é apenas o propósito inabalável de realizar uma tarefa que você se propôs a cumprir.
12. A riqueza cresce onde quer que as pessoas exerçam sua energia.
13. Procure o conselho daqueles que trabalham diariamente com dinheiro.
14. Um retorno pequeno e seguro é muito mais desejável do que um risco.
15. O que cada um de nós chama de "despesas necessárias" sempre crescerá junto com nossas receitas, a menos que protestemos em contrário.
16. Não confunda suas despesas necessárias com seus desejos.
17. Todas as pessoas carregam no coração mais desejos do que podem satisfazer.
18. O objetivo de um orçamento é ajudar sua bolsa a engordar.
19. Antes de se separar de seu tesouro, analise cuidadosamente cada garantia de que ele poderá ser recuperado com segurança.
20. Os nossos desejos devem ser claros e definidos. Mas quando são muitos, confusos, ou

além da nossa capacidade de realizá-los, são fadados ao fracasso.

21. Aqueles que procuram aprender mais sobre sua profissão serão ricamente recompensados.
22. Cultive seus talentos, estude e torne-se mais sábio. Busque aprender novas habilidades e procure sempre respeitar a si mesmo.
23. A boa sorte sempre vem para aqueles que agarram as oportunidades. Não a deixe escapar!
24. Nós, como meros mortais, somos mutáveis. Infelizmente, somos mais aptos a mudar de opinião quando estamos certos do que quando estamos errados.
25. A boa sorte pode ser atraída quando estamos atentos às oportunidades.
26. Se você deseja ajudar um amigo, faça isso de uma forma que não coloque o fardo dele sobre seus próprios ombros.
27. É melhor ter um pouco de cautela do que um grande arrependimento.

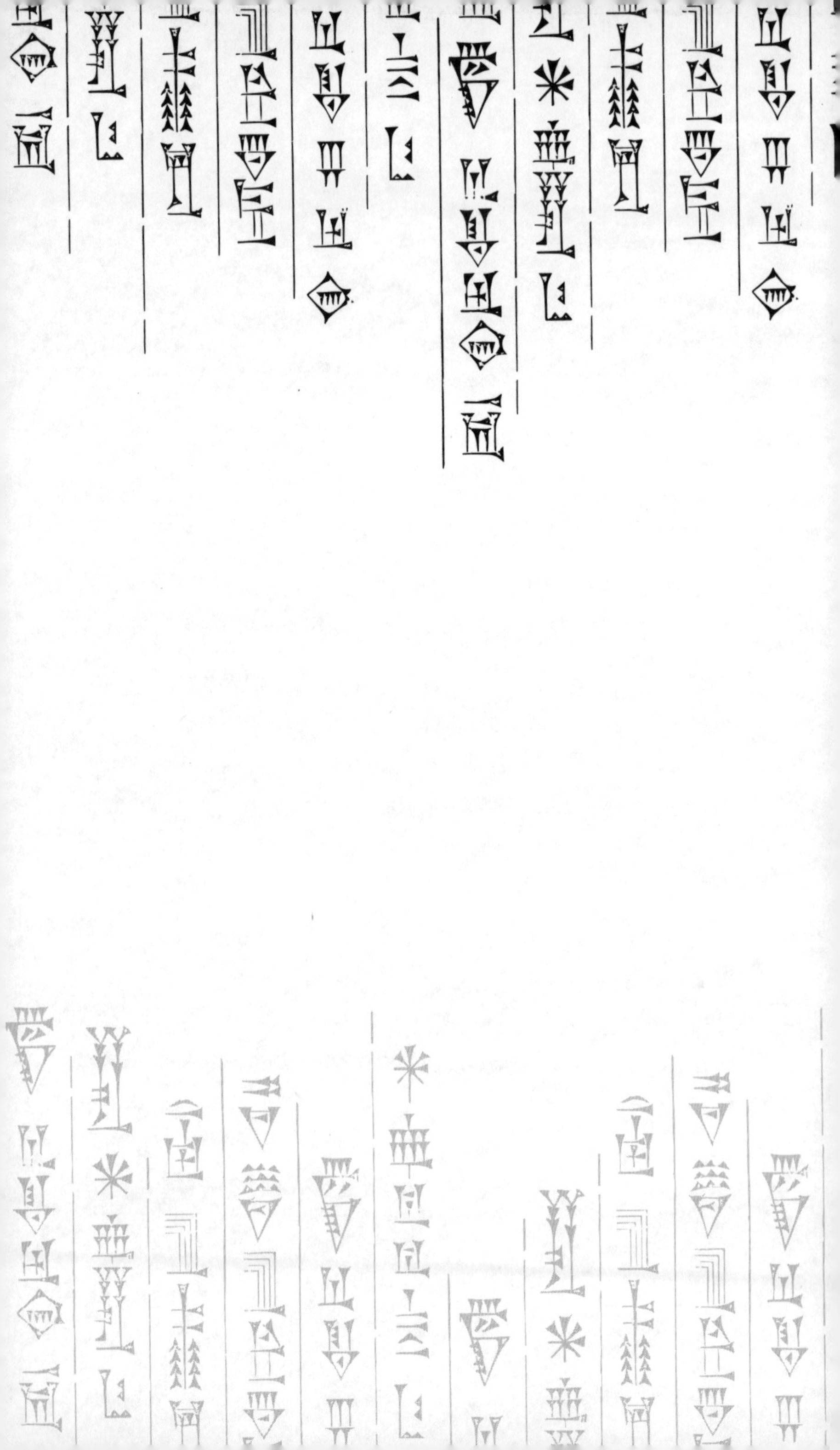

BÔNUS

O HOMEM MAIS RICO DA BABILÔNIA: UM RESUMO

por George S. Clason
Resumo por Mitch Horowitz

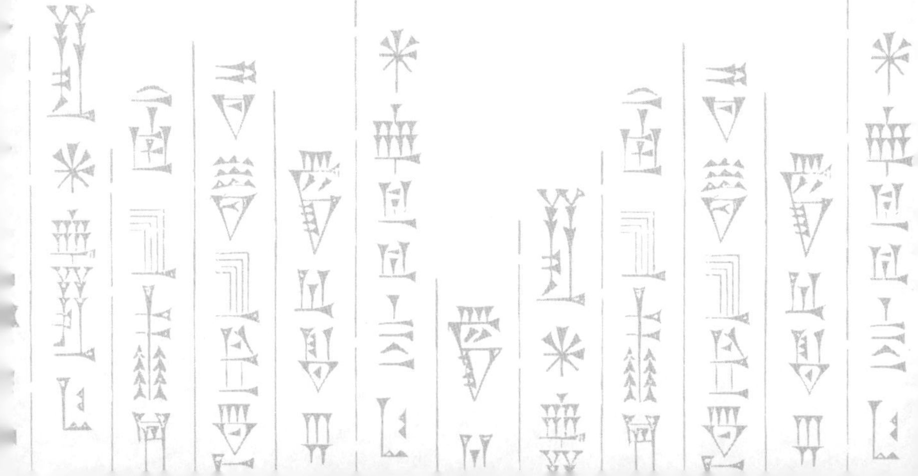

A seguir, apresentamos um resumo bônus do livro original de George S. Clason de 1930. Embora nada possa substituir a experiência de ler na íntegra *O Homem Mais Rico da Babilônia*, esta condensação resume fielmente toda a gama de ideias do autor e retém a dramatização e a narração do original.

M. H.

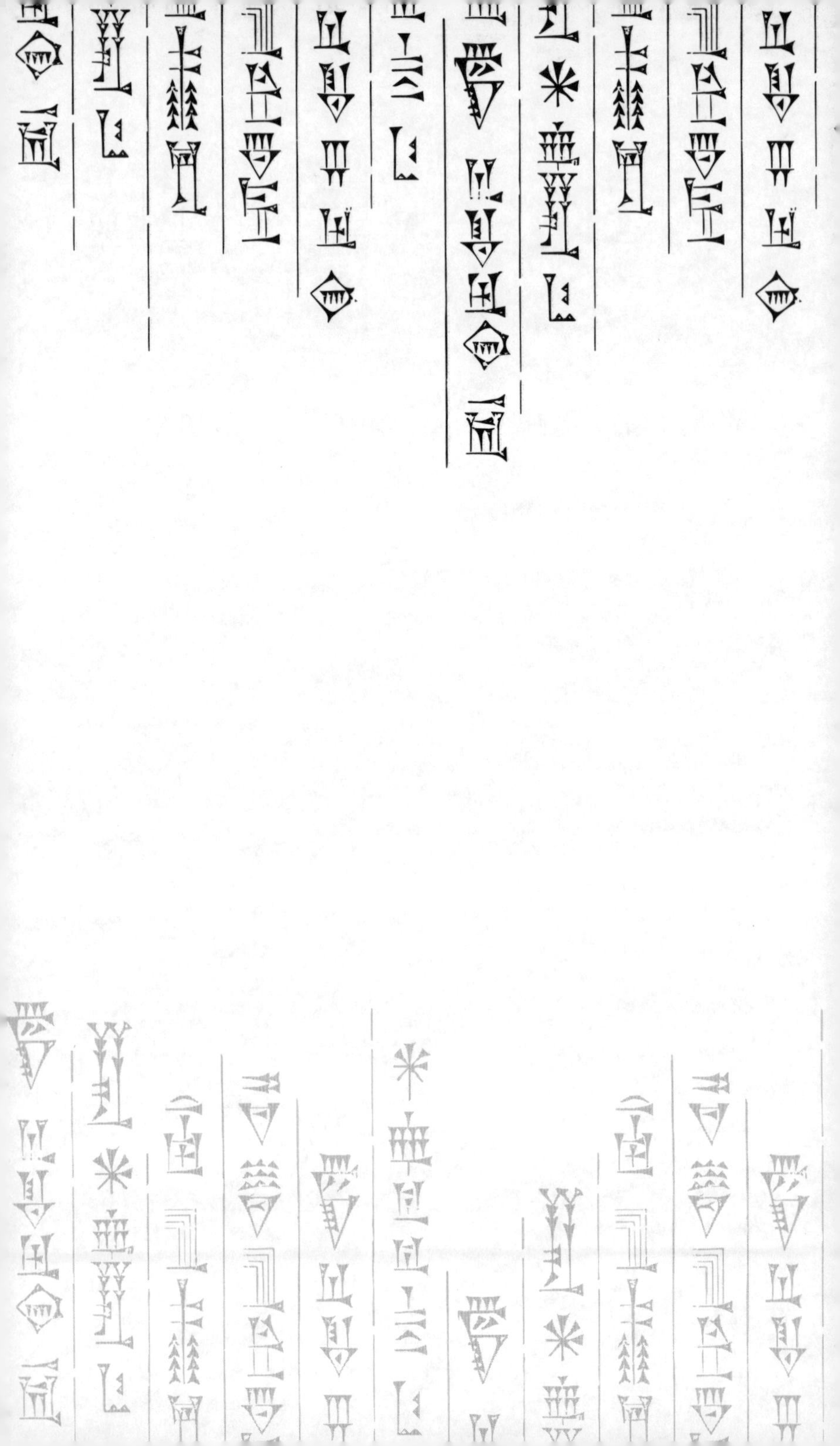

PREFÁCIO DO AUTOR

PARA AQUELES QUE QUEREM TER DINHEIRO

Nossa prosperidade como nação depende da prosperidade financeira individual de cada um de nós.

Este livro trata dos nossos sucessos pessoais. Sucesso significa conquistas como resultado de nossos próprios esforços e habilidades. Uma preparação adequada é a chave para o nosso sucesso. Nossas ações podem não ser tão sábias quanto nossos pensamentos. Nossos pensamentos podem não ser tão sábios quanto nossa compreensão.

Este livro, que apresenta conselhos para solucionar a falta de dinheiro, é considerado um guia para o entendimento financeiro. De fato, este é seu propósito: oferecer àqueles que almejam o sucesso financeiro uma visão que os ajudará a ganhar dinheiro, poupá-lo e fazê-lo render – ou seja, fazer ainda mais dinheiro.

Nas páginas que se seguem, seremos levados de volta à Babilônia, o berço no qual foram cultivados os princípios básicos das finanças – agora reconhecidos e utilizados em todo o mundo.

A Babilônia tornou-se a cidade mais rica do mundo antigo porque seus cidadãos eram as pessoas mais ricas de seu tempo. Eles sabiam apreciar o valor do dinheiro e colocavam em prática princípios financeiros sólidos para ganhar dinheiro, poupá-lo e fazer com que suas economias produzissem ainda mais dinheiro. Os babilônios conseguiram para si mesmos o que todos nós desejamos: uma renda para o futuro.

George S. Clason

CAPÍTULO UM:

O HOMEM QUE DESEJAVA TER OURO

Bansir, fabricante de carruagens da Babilônia, estava totalmente desanimado. Sentado sobre o muro baixo que circundava sua propriedade, ele olhava com tristeza para sua casa simples e para a oficina aberta, onde havia uma carruagem inacabada.

De vez em quando, sua esposa aparecia na porta da casa. Seus olhares furtivos na direção dele o faziam lembrar que o saco de provisões estava quase vazio e que ele deveria estar trabalhando para terminar a carruagem.

Não obstante, seu corpo robusto e musculoso permanecia sentado sobre o muro. Seu raciocínio lento lutava contra um problema, para o qual ele não encontrava resposta.

Bansir foi arrancado de seu torpor pelos acordes de uma lira familiar. Ele se voltou e avistou o rosto amável e sorridente de seu melhor amigo – Kobbi, o músico.

– Que os deuses o abençoem, meu bom amigo! – começou Kobbi, com uma elaborada saudação. – Creio que sua bolsa esteja transbordando, senão você estaria ocupado na sua oficina. Por favor, tire dela apenas dois humildes siclos,[1] que decerto não lhe farão falta, e empreste-os a mim.

– Ah, se eu tivesse ao menos dois siclos – respondeu Bansir –, não poderia emprestá-los a ninguém. Nem mesmo a você, meu melhor amigo; pois eles seriam minha fortuna, toda a minha fortuna.

– O quê? – exclamou Kobbi. – Você não tem nem um único siclo em sua bolsa? Porventura os deuses lhe trouxeram algum infortúnio?

– Talvez seja mesmo um castigo dos deuses – disse Bansir. – Vamos conversar um pouco sobre isso, pois nós dois estamos no mesmo barco. Ganhamos muito dinheiro nos anos que se passaram, mas agora só nos resta sonhar com as alegrias que provêm da riqueza. Não passamos de ovelhinhas simplórias! Vivemos na cidade mais rica do mundo inteiro, mas não temos nada.

– Em todos os nossos anos de amizade, você nunca falou assim antes, Bansir – Kobbi estava intrigado.

– Meu coração está triste – respondeu o fabricante de carruagens. – Eu gostaria de ser um homem de posses. Mas qual é o nosso problema? Eu sempre me pergunto! Por que não podemos ter nossa justa

---

1. Unidade de peso usada no antigo Oriente, utilizada posteriormente como nome da moeda do povo israelita. (N.E.)

parte das coisas boas, que são tão abundantes para aqueles que têm ouro?

– Não podemos descobrir como os outros conseguem o ouro e fazer como eles? – perguntou Kobbi.

– Talvez haja algum segredo que possamos aprender, e devemos procurá-lo junto àqueles que o conhecem – respondeu Bansir.

– Hoje mesmo – disse Kobbi – encontrei na rua o nosso velho amigo Arkad, que passava em sua carruagem dourada. Ele é tão rico que dizem que o próprio rei procura sua ajuda com os assuntos do tesouro.

– Tão rico – disse Bansir – que, se eu o encontrasse na escuridão da noite, não hesitaria em colocar minhas mãos sobre sua gorda bolsa.

– Tolice – reprovou Kobbi. – A riqueza de uma pessoa não se mede pela bolsa que ela carrega. Uma bolsa gorda pode se esvaziar rapidamente se não houver um fluxo de ouro para reabastecê-la. Arkad tem uma renda que mantém sua bolsa constantemente cheia, por mais que ele seja mão-aberta.

– Kobbi, você acaba de me dar uma excelente ideia. – Uma nova luz brilhou nos olhos de Bansir. – Não custa nada pedir conselhos sábios a um bom amigo, e Arkad sempre se mostrou como tal. Estamos cansados de ficar sem ouro em meio a tanta abundância. Venha, vamos perguntar a ele como nós também podemos adquirir uma renda para nós mesmos.

– Você fala com verdadeira inspiração, Bansir. Você trouxe à minha mente um novo entendimento e me faz perceber por que nunca encontramos a riqueza. É porque nunca a buscamos. Você sempre trabalhou pacientemente para construir as carruagens mais fortes da Babilônia. A esse propósito, sempre dedicou seus melhores esforços. Nesse ponto, obteve sucesso. Eu, por outro lado, esforcei-me para me tornar um hábil tocador de lira. E, nisso, também obtive sucesso. Sim, nas coisas para as quais direcionamos nossos melhores esforços, fomos bem-sucedidos. Os deuses se contentaram em nos deixar continuar assim. Mas agora, finalmente, vemos uma nova luz. Isso nos convida a aprender mais, para que possamos prosperar mais. Com esse novo entendimento, encontraremos maneiras honrosas de realizar nossos desejos.

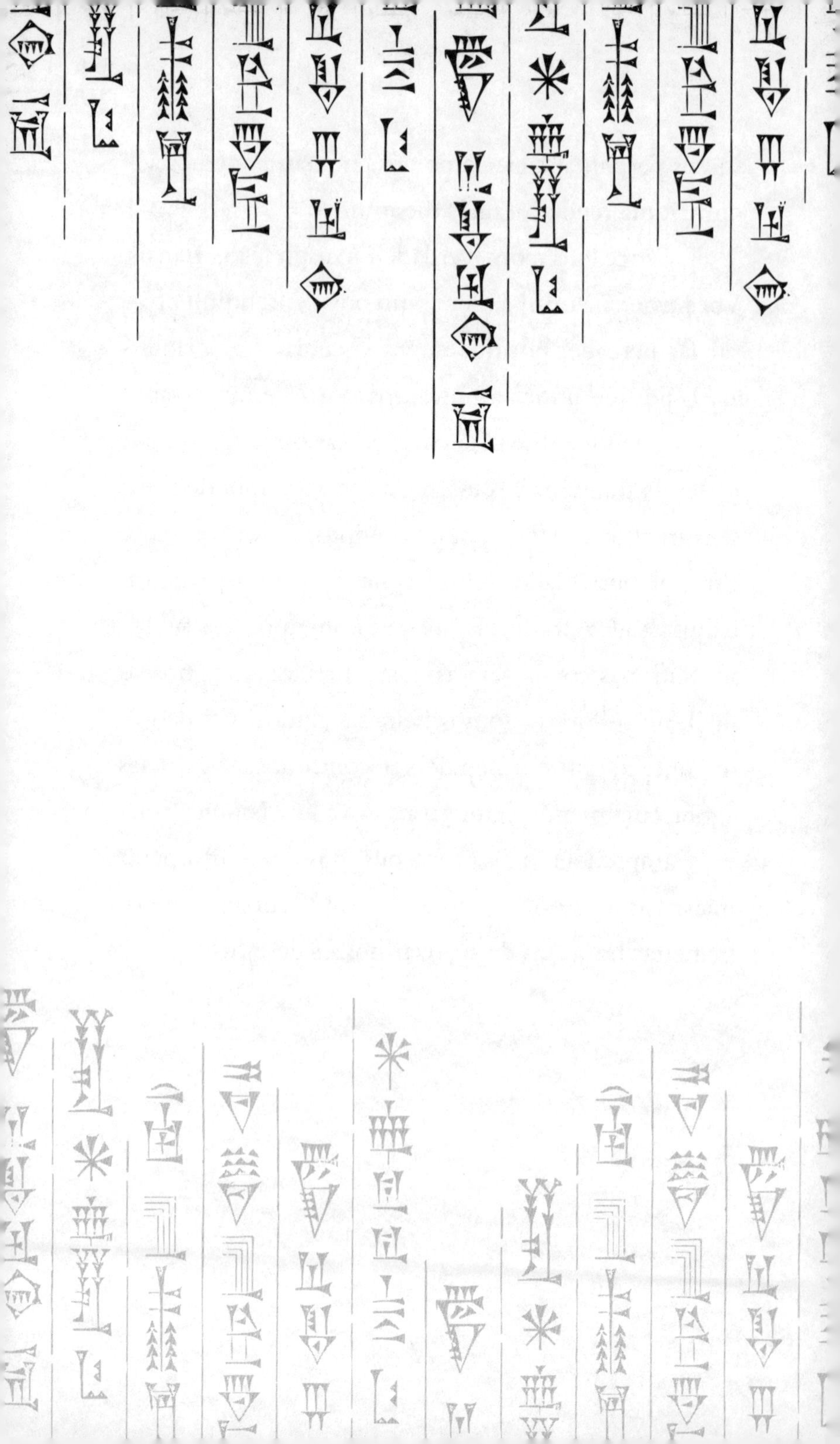

CAPÍTULO DOIS:

O HOMEM MAIS RICO DA BABILÔNIA

Certa vez, na antiga Babilônia, vivia um homem muito rico chamado Arkad. Por toda parte, ele era conhecido por sua grande riqueza. Era muito generoso com os mais necessitados e com sua família, além de ser muito liberal em suas próprias despesas. No entanto, a cada dia sua riqueza aumentava mais rapidamente do que ele a gastava.

Certo dia, alguns amigos de seu tempo da juventude vieram até ele e disseram:

– Você é mais afortunado do que nós. Você se tornou o homem mais rico de toda a Babilônia, enquanto nós lutamos pela sobrevivência. No entanto, um dia éramos todos iguais. Fomos educados pelo mesmo mestre. Participamos das mesmas brincadeiras. Mas você nunca nos superou, nem nos estudos, nem nos jogos. E nos anos que se seguiram, você foi um cidadão tão honrado quanto nós e não trabalhou mais duro do que nós. Por que, então, o destino caprichoso quis escolhê-lo para desfrutar de todas as coisas boas da vida e resolveu nos ignorar, se somos igualmente merecedores?

Arkad protestou com eles, dizendo:

– Se vocês não conseguiram mais do que uma pobre existência desde que éramos jovens, é porque não aprenderam as leis que governam a construção da riqueza, ou então não as observam.

E assim o homem rico prosseguiu em seu relato:

> Na minha juventude, eu olhava ao meu redor e via todas as coisas boas que poderiam me trazer felicidade e contentamento. E percebi que a riqueza aumentava a potência de todas essas coisas.
>
> E, quando percebi tudo isso, decidi que iria reivindicar a minha parte das coisas boas da vida.
>
> Como vocês sabem, sou filho de um humilde comerciante, apenas mais um em uma grande família sem herança. Não sendo dotado de sabedoria ou talentos superiores – como vocês mesmos disseram de forma tão franca –, tomei uma decisão: para conseguir tudo o que eu desejava, precisaria de tempo e conhecimentos.
>
> Quanto ao tempo, todos nós o recebemos em abundância. Vocês, cada um de vocês, têm deixado escapar o tempo e as oportunidades para se tornarem ricos.
>
> Quanto aos conhecimentos, nosso sábio mestre nos ensinou que o aprendizado consiste em dois tipos: as coisas que aprendemos e sabemos e a prática que nos ensina a descobrir o que não sabemos.

Por isso, decidi descobrir como se poderia acumular riqueza e, quando tivesse descoberto, fazer disso minha tarefa.

Consegui um emprego como escriba na sala de registros e todos os dias eu trabalhava por horas a fio, copiando as leis em tábuas de argila. Semana após semana, mês após mês, eu trabalhava duro; mas não conseguia enxergar os meus ganhos.

Certo dia, o banqueiro Algamish veio à administração da cidade e encomendou uma cópia da Nona Lei, dizendo:

– Preciso ter isto em mãos daqui a dois dias.

Trabalhei com muito afinco, mas aquela lei era muito longa; e quando Algamish retornou, a tarefa estava inacabada. Ele ficou com muita raiva; e se eu fosse seu escravo, ele teria me açoitado. Mas, sabendo que o senhor da cidade não permitiria que ele me ferisse, não tive medo e disse a ele:

– Algamish, você é um homem muito rico. Diga-me como também posso ficar rico, e passarei toda a noite esculpindo na argila. Quando o sol nascer, o trabalho estará completo.

Ele sorriu e respondeu:

– Você é um belo trapaceiro! Mas vamos considerar isso uma barganha.

Trabalhei por toda aquela noite, embora minhas costas estivessem me matando e o cheiro do lampião fizesse minha cabeça doer e meus olhos arderem. Mas quando ele retornou, ao nascer do sol, as tábuas estavam prontas.

– Você cumpriu sua parte do nosso acordo, meu filho – disse-me ele. – E estou pronto para cumprir a minha. Guarde bem minhas palavras; pois, se não o fizer, deixará de compreender a verdade que lhe revelarei e pensará que o trabalho de sua noite foi em vão.

Então, ele me olhou com astúcia e disse, num tom baixo e vigoroso:

– Encontrei o caminho da riqueza quando decidi que guardaria para mim mesmo uma parte de tudo o que eu ganhasse. E assim você fará.

Então ele continuou a me olhar, de uma forma que parecia penetrar a minha alma; mas não disse mais nada.

– Isso é tudo? – perguntei.

– Isso foi o suficiente para transformar o coração de um pastor de ovelhas no coração de um banqueiro – respondeu ele.

– Mas tudo o que ganho já não é meu? – perguntei.

– Longe disso! – respondeu ele. – Você não paga ao alfaiate pelas roupas que usa? Não paga ao artesão pelas sandálias que calça? Não paga pelas coisas que come? É possível viver na Babilônia sem gastar? O que você guardou de seus ganhos do mês passado? O que guardou no último ano? Seu idiota! Você paga a todos, menos a si mesmo. Você trabalha para os outros. Melhor faz o escravo, que trabalha pelo que seu patrão lhe dá. Se você guardasse para si mesmo um décimo de tudo o que ganha, quanto teria em dez anos?

Naquele momento, meu conhecimento dos números não me abandonou, e respondi:

– Em dez anos, eu teria guardado o que ganho em um ano.

– Você enxerga apenas metade da verdade – respondeu ele. – Cada moeda de ouro que você guarda é um escravo que pode trabalhar por você. Cada moeda que você ganha é como um filho, que também pode ganhar para você. Se quer se tornar rico, então **tudo o que você economiza deve trabalhar por você**, para proporcionar a riqueza que você tanto almeja. Você acha que eu o enganei por sua longa noite de trabalho – continuou ele –, mas o que digo vale mil vezes mais, se você tiver a sabedoria para compreender a verdade que ofereço.

– **Uma parte de tudo o que você ganha deve ser guardada para você**. Não deve ser menos do que um décimo, não importa se você ganhar pouco. Pode ser muito mais, dependendo do que você ganhar; mas sempre **pague a si mesmo primeiro**. Não compre do alfaiate ou do artesão de sandálias mais do que você puder pagar com o resto.

– A riqueza, como uma árvore, cresce a partir de uma pequena semente. A primeira moeda de cobre que você economizar será a semente, da qual sua árvore de riqueza deve crescer. Quanto mais cedo você plantar essa semente, mais cedo a árvore crescerá. E quanto mais fielmente você nutrir e regar essa árvore com economias consistentes, mais cedo você poderá se satisfazer à sombra da árvore.

Assim dizendo, ele pegou suas tábuas e foi embora.

Pensei muito em tudo que ele havia me dito, e me pareceu bem razoável. Então, decidi experimentar. Sempre que eu recebia meu salário, eu pegava uma a cada dez moedas de cobre e a guardava. E, por incrível que pareça, não fiquei mais pobre do que antes.

Doze meses depois, Algamish voltou e me perguntou:

– Filho, você pagou para si mesmo pelo menos um décimo de tudo o que ganhou no ano passado?

Respondi orgulhosamente:

– Sim, mestre, foi isso que eu fiz.

– Muito bem! – respondeu ele. – E o que você fez com isso?

– Entreguei tudo a Azmur, o fabricante de tijolos, que viajará pelos mares distantes e comprará para mim algumas joias raras da Fenícia. Quando ele retornar, venderemos essas joias a preços altos.

– Ah, os tolos precisam mesmo aprender – disse ele. – Por que confiar nos conhecimentos de um simples oleiro sobre joias? Você iria até um oleiro para perguntar sobre as estrelas? Não, você iria a um astrônomo, se pelo menos tivesse cabeça para pensar. Ah, suas economias se foram, meu jovem. Você arrancou sua árvore de riquezas pelas raízes. Mas plante outra. Tente outra vez. E da próxima vez, se quiser conselhos sobre joias, vá até o joalheiro. O conselho é uma coisa que se dá livremente, mas você deve guardar apenas o que vale a pena. Aquele que aceita conselhos sobre suas economias de alguém inexperiente deve pagar com essas mesmas economias, para provar a falsidade de suas opiniões.

Dizendo isso, ele foi embora.

E aconteceu exatamente como ele previra, pois os fenícios venderam a Azmur apenas pedaços de vidro sem valor. Mas, como Algamish tinha me alertado, continuei a guardar cada décimo dos meus ganhos; pois já tinha me habituado a isso, e não era mais uma dificuldade.

Mais uma vez, doze meses depois, Algamish veio e perguntou:

– Que progressos você fez desde a minha última visita?

– Paguei a mim mesmo todos os meses, sem falta – respondi –, e confiei minhas economias a Aggar, o fabricante de escudos, para que ele possa comprar bronze. A cada quatro meses, ele me paga uma parte de seus lucros.

– Isso é bom. E o que você tem feito com esse dinheiro?

– Tenho feito grandes banquetes! Também comprei uma túnica escarlate para mim. E em breve comprarei um burrinho, para poder me locomover.

Ao que Algamish respondeu, sorrindo:

– Você está devorando os filhos de suas economias! Como você espera que eles trabalhem para você? E como eles podem ter filhos que também trabalharão para você? Reúna primeiro um exército de escravos dourados, e somente então você poderá desfrutar de um rico banquete sem arrependimentos.

Dizendo isso, ele partiu novamente.

Não voltei a vê-lo por dois anos. Quando pudemos nos rever, ele me perguntou:

– Arkad, você já alcançou a riqueza com que tanto sonhava?

E respondi:

– Ainda não tenho tudo o que desejo; mas já tenho uma reserva que rende bons lucros, que por sua vez também continuam a render.

– E você ainda aceita conselhos dos fabricantes de tijolos?

– Bem, com relação à fabricação de tijolos, eles ainda dão bons conselhos – eu disse.

– Arkad – continuou ele –, você aprendeu bem. Primeiro aprendeu a viver com menos do que podia ganhar. Em seguida, aprendeu a buscar o conselho daqueles que eram competentes, por meio de sua própria experiência. E, por fim, aprendeu a fazer o ouro trabalhar para você. Você aprendeu como ganhar dinheiro, como guardá-lo e como utilizá-lo. Portanto, já tem competência para assumir um cargo de responsabilidade. Estou envelhecendo; meus filhos pensam apenas em gastar, não em ganhar. Tenho muitos negócios, que são coisas demais para que eu possa cuidar sozinho. Venha comigo para Nippur para cuidar de minhas terras; farei de você meu sócio, e você fará parte do meu testamento.

Então, fui para Nippur e comecei a administrar os bens de Algamish, que eram muitos. E como eu estava cheio de ambição, e já tinha dominado as três leis da riqueza, consegui aumentar muito o valor de suas propriedades. Continuei a prosperar muito; e quando o espírito de Algamish partiu, recebi minha herança como ele havia prometido.

Assim falou Arkad; e, quando terminou sua história, um de seus amigos disse:

– Realmente, você teve muita sorte por ter sido nomeado como um dos herdeiros de Algamish.

– Minha única sorte foi ter o desejo de prosperar, antes de encontrá-lo pela primeira vez. Não tive que manter a determinação e o meu propósito durante quatro anos, guardando um décimo de tudo o que eu ganhava? A oportunidade é uma deusa caprichosa, que não perde tempo com aqueles que não estão preparados.

– Você teve uma grande força de vontade para continuar, depois de ter perdido as economias de seu primeiro ano – disse o outro amigo.

– Força de vontade? – retorquiu Arkad. – Que bobagem! Você acha que a força de vontade pode dar a alguém a força necessária para levantar um peso que o camelo não pode carregar? Ou para puxar uma carga que nem os bois conseguem levar? A força de vontade é apenas o propósito inabalável de realizar uma tarefa que você se propôs a cumprir. Quando decido fazer alguma coisa, vou até o fim. Portanto, tenho o cuidado de não começar tarefas difíceis e impraticáveis, porque prezo pelo meu amor-próprio.

E então o outro amigo respondeu:

– Se o que você diz é verdadeiro... e se fosse assim tão simples, e todos agissem dessa maneira, não haveria riqueza suficiente para todos.

– A riqueza cresce onde quer que as pessoas exerçam sua energia – respondeu Arkad. – As possibilidades são imensas. Os fenícios não construíram grandes cidades, em costas áridas, com a riqueza proveniente de seus navios mercantes?

– Então, o que você nos aconselha para que também possamos ficar ricos? – perguntou um de seus amigos.

– Aconselho que ouçam a sabedoria de Algamish e sempre digam a si mesmos:

> **Uma parte de todos os meus ganhos pertence a mim.** Digam isso pela manhã, quando se levantarem. Digam isso ao meio-dia. Digam isso à noite. Digam isso em todas as horas do dia. Digam isso para si mesmos, até que essas palavras apareçam gravadas com letras de fogo no céu.
>
> Assimilem todos os conselhos que lhes parecerem sábios e bons.
>
> Separem não menos do que um décimo de seus ganhos e economizem. Organizem as outras despesas necessárias, mas nunca deixem de fazer isso.
>
> Logo vocês experimentarão a rica sensação de possuir um tesouro que é somente seu. Quanto mais ele crescer, mais motivação vocês terão. Vocês terão mais entusiasmo, com uma nova alegria de viver. Terão vontade de se esforçar mais, para ganhar mais.

Portanto, aprendam a fazer com que seu tesouro trabalhe para vocês. Façam com que seus filhos, e os filhos de seus filhos, trabalhem para vocês.

Assegurem uma renda para o seu futuro. Olhem para os mais velhos, não se esqueçam de que um dia vocês também estarão entre eles. Portanto, invistam seu tesouro com toda a cautela.

Tomem providências para que suas famílias não implorem aos deuses que vocês morram logo. Para garantir tal proteção, é sempre possível fazer pequenos pagamentos, em intervalos regulares. Assim, o homem providente não se demora na expectativa de receber uma grande quantia, diante de um propósito tão sábio.

Procurem se aconselhar com homens sábios. Busquem o conselho de pessoas cujo trabalho diário seja lidar com dinheiro. Um retorno pequeno e seguro é muito mais desejável do que um risco.

Aproveitem a vida enquanto vocês estão aqui. Não se esforcem demais, nem tentem economizar muito. Se um décimo de tudo o que vocês ganharem for o máximo que puderem poupar confortavelmente, contentem-se em manter essa porção. Vivam de acordo com sua renda; não se deixem levar pela avareza e pelo medo de gastar. A vida é boa e rica, com coisas que valem a pena, e muitos prazeres para desfrutar.

Os amigos agradeceram e foram embora. Nos anos seguintes, eles continuaram a visitar Arkad, que sempre os recebia de bom grado. Ele os aconselhava e oferecia livremente sua sabedoria, como as pessoas de grande experiência sempre têm o prazer de fazer. Ele os ajudava a investir suas economias com segurança para trazer bons lucros e não se prejudicarem com investimentos que não dessem retorno.

O momento decisivo na vida desses homens chegou no dia em que eles perceberam a verdade que havia chegado até eles:

UMA PARTE DE TUDO O QUE VOCÊ GANHA PERTENCE A VOCÊ.

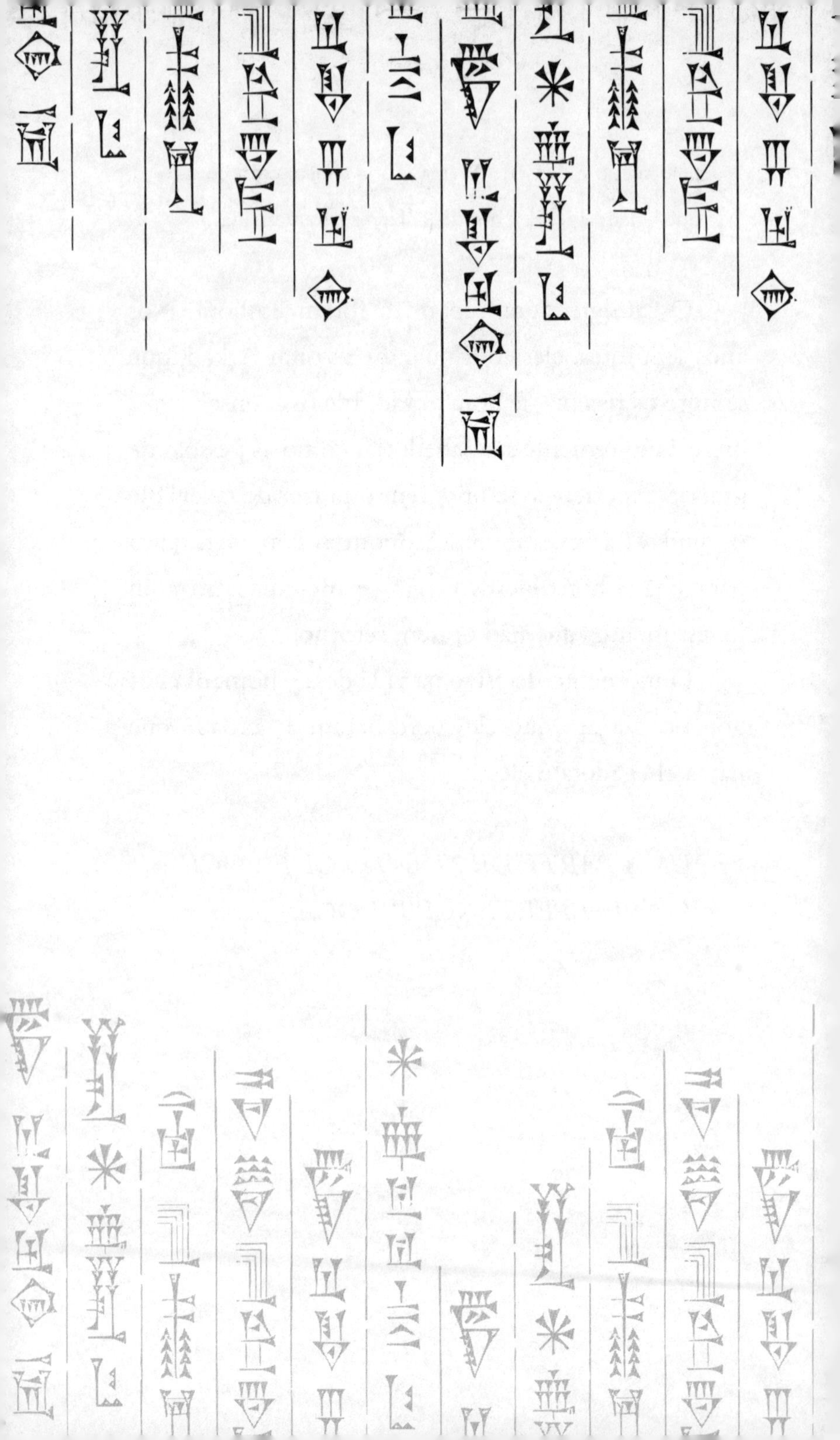

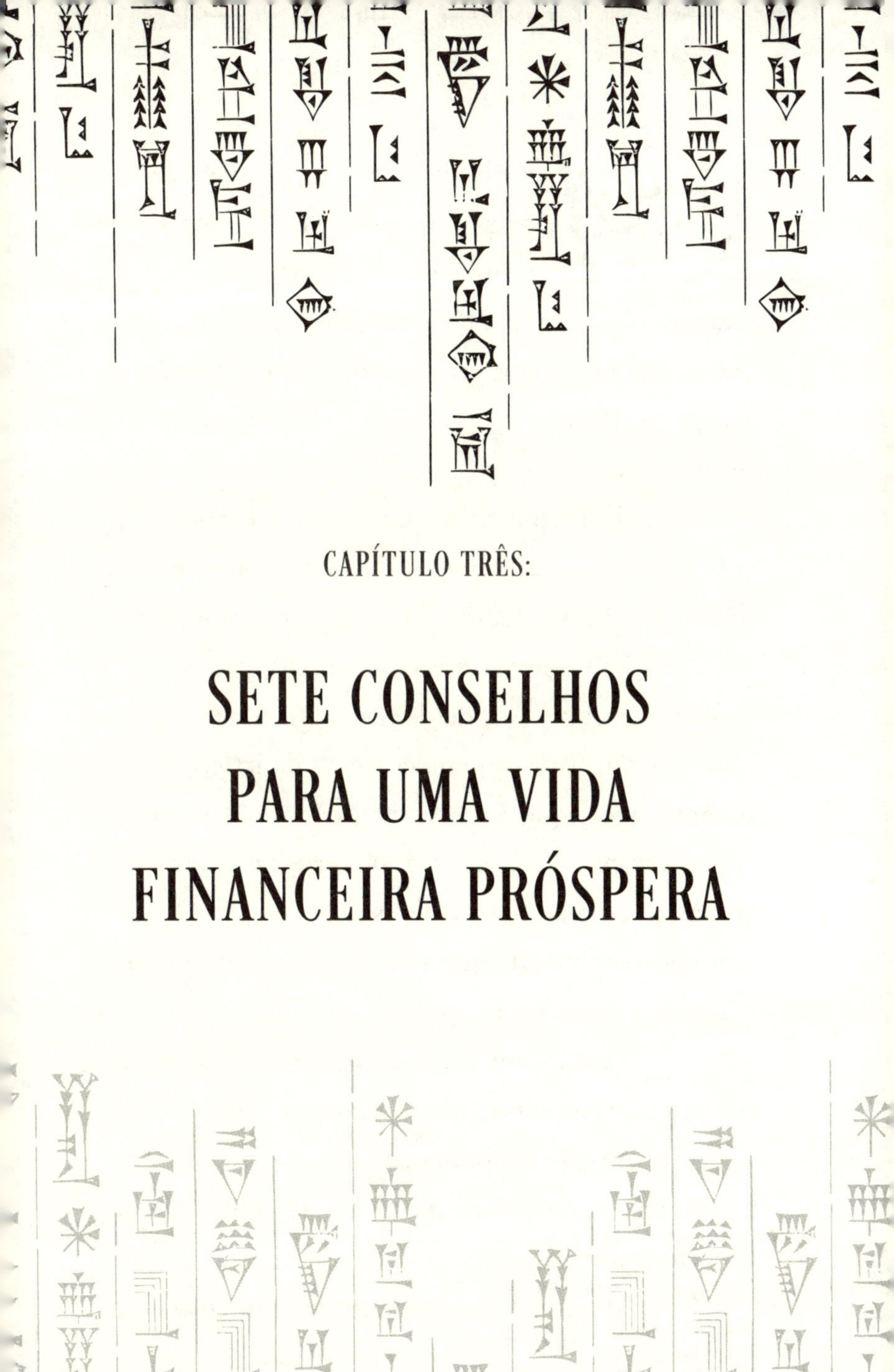

CAPÍTULO TRÊS:

SETE CONSELHOS PARA UMA VIDA FINANCEIRA PRÓSPERA

A glória da Babilônia permanece. Ao longo dos tempos, sua reputação chegou até nós como a mais rica das cidades. No entanto, nem sempre foi assim. As riquezas da Babilônia foram o resultado da sabedoria de seu povo. Primeiro, eles tiveram de aprender como se tornar ricos.

Quando o bom rei Sargon voltou à Babilônia depois de derrotar seus inimigos, foi confrontado com uma grave situação. O chanceler real veio ao seu encontro:

– Houve muitos anos de grande prosperidade trazida ao nosso povo, desde que Vossa Majestade começou a construir os grandes canais de irrigação; entretanto, agora que as obras foram concluídas, o povo parece incapaz de se sustentar. Os operários estão sem emprego. Os mercadores têm poucos clientes. Os agricultores não conseguem vender seus produtos. O povo não tem ouro suficiente para comprar alimentos.

– Mas para onde foi todo o ouro que gastamos nessas grandes melhorias? – perguntou o rei.

– Temo que ele tenha encontrado seu destino – respondeu o chanceler – no bolso de alguns poucos homens muito ricos.

O rei refletiu durante algum tempo, então perguntou:

– Por que tão poucas pessoas são capazes de possuir todo o ouro?

– Porque eles sabem como fazer isso – respondeu o chanceler.

O rei determinou que os caminhos da riqueza deveriam ser ensinados ao povo; assim, no dia seguinte, ele convocou Arkad, o homem mais rico da Babilônia, para que se apresentasse no palácio.

– Arkad – disse o rei –, desejo que a Babilônia seja a cidade mais rica do mundo. Uma cidade próspera, cheia de homens ricos. Para tanto, devemos ensinar a todo o povo como adquirir riquezas. Diga-me, Arkad, existe algum segredo para a prosperidade? Isso pode ser ensinado?

– Claro que sim, Majestade. Tudo aquilo que uma pessoa aprende pode ser ensinado aos outros. Por favor, peça ao chanceler que me traga uma turma de cem homens, e ensinarei a eles os sete conselhos que me fizeram prosperar.

Duas semanas depois, os cem escolhidos se reuniram no Templo do Saber.

– Como súdito de nosso grande rei – começou Arkad –, estou diante de vocês a serviço dele. Como uma vez já fui pobre, um jovem que desejava muito ter riquezas, e encontrei conhecimentos que me possibilitaram adquiri-las, Sua Majestade determina que eu lhes ensine tudo o que sei. O primeiro depósito do meu tesouro era uma bolsa velha e bem gasta. Eu detestava vê-la sempre vazia. Queria que ela estivesse gorda e cheia de moedas, tilintando com o som do ouro. Por isso, procurei todos os conselhos possíveis para encher aquela bolsa magra. Encontrei sete. De agora em diante, vamos considerar cada um deles.

Primeiro Conselho:
Aprenda a andar com dinheiro no bolso

Agora vou revelar o primeiro remédio que aprendi para engordar a minha bolsa velha e magra: a cada dez moedas que vocês colocarem dentro de sua bolsa, gastem apenas nove. Assim, sua bolsa nunca ficará vazia; seu peso cada vez maior dará prazer aos seus ombros, e isso trará satisfação à sua alma.

Não riam das palavras que digo, por causa de sua aparente simplicidade. A verdade é sempre simples. Eu disse que contaria a vocês como construí minha fortuna. E este foi o meu começo. Eu carregava uma bolsa magra e a amaldiçoava, porque não havia nada que pudesse satisfazer meus desejos. Mas, quando comecei a tirar de minha bolsa não mais do que nove décimos do que eu depositava, ela começou a engordar. E assim será com vocês.

Agora vou revelar uma estranha verdade, cujas razões ainda não sei. Quando deixei de gastar mais do que nove décimos dos meus ganhos, comecei a prosperar. Não fiquei mais pobre do que antes. Pelo contrário, as moedas pareciam vir até mim com mais facilidade do que antes. Certamente, essa é uma lei dos deuses: para aquele que guarda e não gasta certa parte de todos os seus ganhos, o ouro virá mais facilmente. Da mesma forma, a fortuna evita todos aqueles cujas bolsas estão sempre vazias.

Qual é o seu maior desejo? É a mera satisfação dos desejos de cada dia? Uma joia, um acessório elegante, roupas melhores, mais comida? Coisas que rapidamente desaparecem e são esquecidas? Ou vocês desejam bens substanciais, como ouro, terras, rebanhos, mercadorias – investimentos que geram renda? As moedas que vocês tiram de sua bolsa trarão as primeiras coisas; as moedas que vocês deixam dentro dela trarão as demais.

Este, meus alunos, foi o primeiro segredo que descobri para encher a minha bolsa magra: **"A cada dez moedas colocadas em sua bolsa, gastem apenas nove"**.

Segundo Conselho:
Controle seus gastos

Não confundam suas despesas necessárias com seus desejos. Cada um de vocês, junto com suas boas famílias, desejam coisas além do que seus ganhos podem pagar. Dessa forma, vocês gastam tudo o que ganham para realizar seus sonhos, à medida que eles aparecem. Mesmo assim, vocês ainda têm muitos desejos que não conseguem ser satisfeitos.

Todas as pessoas carregam no coração mais desejos do que podem satisfazer. Ou vocês acham que somente porque sou rico posso realizar todos os meus sonhos? Há limites para o meu tempo. Há limites para a minha saúde. Há limites para a distância que posso percorrer. Há limites para o que posso comer. Há limites para os prazeres que posso desfrutar.

Assim como as ervas daninhas crescem em um campo, se o agricultor deixar espaço para suas raízes, assim os desejos também crescem livremente no coração das pessoas que sempre podem saciá-los. Os desejos são uma multidão, mas aqueles que vocês podem satisfazer são muito poucos.

Estudem cuidadosamente seus hábitos, o modo de vida a que estão acostumados. Certamente, vocês encontrarão certas despesas que podem ser sabiamente reduzidas ou eliminadas. Adotem o hábito de reservar 1% do valor de cada moeda gasta.

Além disso, gravem sobre as tabuinhas de argila cada coisa com a qual desejam gastar. Selecionem as que são necessárias e as que será possível comprar com nove décimos de sua renda. Risquem as restantes, considerando-as apenas uma parte dessa grande multidão de desejos que devem permanecer insatisfeitos – e não se arrependam disso.

Façam um orçamento para as suas despesas necessárias. Não mexam naquele décimo que está engordando a sua bolsa. Esse é o maior desejo que vocês devem ter.

Lembrem-se: o objetivo de um orçamento é aumentar seu dinheiro, é ajudar a sua bolsa a engordar. É ajudá-los a manter suas necessidades e, na medida do possível, realizar seus outros desejos. É permitir que realizem seus desejos mais queridos, protegendo-os contra os seus impulsos casuais. Como um facho de luz em uma caverna escura, seu orçamento mostrará os vazamentos de sua bolsa e permitirá que vocês os consertem. Assim, vocês controlarão seus gastos com propósitos definidos e gratificantes.

Este, portanto, é meu segundo conselho: **"Façam um orçamento das suas despesas, para que**

vocês possam ter dinheiro para manter suas necessidades, pagar pelos seus prazeres e satisfazer seus desejos mais valiosos sem gastar mais do que nove décimos de seus ganhos".

Terceiro Conselho:

Faça seu dinheiro se multiplicar

Eu digo a vocês, meus alunos: a riqueza de uma pessoa não se mede pelas moedas que ela carrega, mas sim pela renda que ela constrói: aquele fluxo dourado, que corre continuamente para dentro de sua bolsa e a mantém sempre cheia. Isto é o que cada um de nós deseja: uma renda que não para de fluir, estejamos trabalhando ou descansando.

Adquiri uma grande renda. Tão grande que sou considerado muito rico. Meus empréstimos a comerciantes e artesãos responsáveis foram minha primeira experiência com investimentos rentáveis. Ganhando sabedoria com essa experiência, ampliei meus empréstimos e investimentos à medida que meu capital aumentava. De poucas fontes no início, de muitas fontes mais tarde, começou a fluir para minha bolsa um fluxo dourado de riqueza, disponível para usar da forma mais sábia que eu decidisse.

E eis que, a partir de meus modestos ganhos, eu havia gerado uma multidão de escravos dourados, por assim dizer, cada um trabalhando e produzindo mais ouro. Assim como eles trabalhavam para mim, também seus filhos trabalhavam, e os filhos de seus filhos, até que seus esforços combinados resultaram em uma grande renda.

Portanto, este é o meu terceiro conselho para alcançar a prosperidade: **"Coloquem cada moeda para trabalhar! Que ela possa se reproduzir como os rebanhos do campo e ajudá-los a ter uma renda – um rio de riqueza, que fluirá constantemente para dentro de sua bolsa"**.

Quarto Conselho:

Proteja seus tesouros contra as perdas

O infortúnio adora as coisas brilhantes. O ouro poupado e guardado deve ser protegido com firmeza; caso contrário, ele será perdido. Portanto, é preciso aprender primeiro a lidar sabiamente com pequenas quantias e protegê-las, para que os deuses nos confiem riquezas maiores.

Toda pessoa que tem algum dinheiro guardado é sondada pelas tentações: as oportunidades de ganhar grandes somas por meio de seu investimento nos projetos mais plausíveis. Muitas vezes, amigos e parentes ficam ansiosos para que vocês entrem em tais projetos, e os incentivam a fazer esses investimentos.

O princípio mais sólido de um investimento é a segurança para o seu capital. É sábio ficar instigado com ganhos maiores, quando seu capital pode ser perdido para sempre? Digo que não. A penalidade do risco é a provável perda. Antes de se separar de seu tesouro, analisem cuidadosamente cada garantia de que ele poderá ser recuperado com segurança. Não se deixem enganar por desejos românticos de fazer fortuna rapidamente.

Antes de emprestá-lo a qualquer pessoa, assegurem-se de que ela poderá pagar e de que ela tem boa reputação. Antes de confiá-lo como um investimento em um campo desconhecido, familiarizem-se com os perigos que podem vir a ocorrer.

Assim, aqui vai o meu quarto conselho, que é de grande importância para evitar que sua bolsa seja esvaziada uma vez que ela estiver bem cheia. **"Protejam seu tesouro contra as perdas, investindo somente onde seu capital estiver seguro, onde ele possa ser recuperado se for preciso, e onde vocês não deixarão de recolher um rendimento justo."** Busquem o conselho dos mais sábios. Ouçam aqueles que têm mais experiência em lidar com o ouro. Deixem que sua sabedoria proteja seu tesouro de investimentos inseguros.

Quinto Conselho:
Faça de sua casa um investimento lucrativo

Se uma pessoa puder separar nove partes de seus ganhos para viver e desfrutar a vida, mas ainda puder transformar mais uma dessas nove partes em um investimento lucrativo, sem prejudicar seu bem-estar, então seus tesouros crescerão muito mais rapidamente.

Muitos habitantes da Babilônia vivem com suas famílias em bairros precários, onde pagam aluguéis altos a proprietários exigentes. Nenhuma família pode desfrutar plenamente da vida a menos que tenha um terreno onde as crianças possam brincar e onde o casal possa cultivar não apenas flores, mas também verduras e ervas ricas.

Recomendo que cada um de vocês seja dono do seu próprio teto, de um abrigo para si e para os seus.

Possuir a própria casa não está além da capacidade de qualquer pessoa bem-intencionada. Nosso grande rei não estendeu as muralhas da Babilônia de modo que agora elas comportam muitas terras não utilizadas e que podem ser compradas por quantias razoáveis?

Também asseguro a vocês: os credores veem com bons olhos os desejos daqueles que buscam um lar para suas famílias. Vocês facilmente conseguirão dinheiro emprestado para um propósito tão louvável se conseguirem apresentar uma parcela razoável do total necessário.

E quando a casa já estiver construída, vocês poderão pagar ao credor com a mesma regularidade com que pagavam ao locador. Como cada pagamento reduzirá sua dívida com o credor, em alguns anos vocês terão quitado seu empréstimo.

Muitas bênçãos recaem sobre aquele que é dono da própria casa. Vocês reduzirão muito seu custo de vida, disponibilizando uma maior parte de seus ganhos para os prazeres e a satisfação de seus desejos. Este, portanto, é o meu quinto conselho: **"Sejam os donos de sua própria casa"**.

Sexto Conselho:

Assegure uma renda para o futuro

A existência de cada um de nós começa na infância e termina na velhice. Esse é o caminho da vida, e ninguém pode escapar dele – a menos que os deuses nos chamem prematuramente para o mundo do além. Portanto, digo a vocês que é preciso providenciar uma renda adequada para os dias futuros, quando vocês não forem mais jovens; e pensar no futuro de suas famílias, para quando não estiverem mais aqui.

Há diversas maneiras de proporcionar segurança para o futuro. Vocês podem encontrar um esconderijo e enterrar ali seu tesouro secreto. No entanto, por mais que sejam hábeis em escondê-lo, seu tesouro pode ser saqueado pelos ladrões. Por essa razão, não recomendo essa estratégia.

Há a alternativa de comprar casas ou terras para esse propósito. Se esses bens forem escolhidos sabiamente quanto à sua utilidade e valor no futuro, eles não perderão seu valor, e seus rendimentos, ou mesmo uma venda lucrativa, trarão conforto para o seu futuro.

Vocês também podem confiar uma pequena quantia a um banco ou um credor e aumentá-la em períodos regulares. Os juros que o credor acrescenta a esse capital farão o seu dinheiro crescer. Quando um pagamento tão pequeno, feito com regularidade, produz resultados tão lucrativos, ninguém pode se dar ao luxo de não assegurar um tesouro para sua velhice e a proteção de sua família, por mais prósperos que sejam seus negócios e seus investimentos.

Este, portanto, é o sexto conselho para sua vida financeira: **"Assegurem antecipadamente as necessidades de sua velhice e a proteção de sua família"**.

Sétimo Conselho:
Aumente sua capacidade de ganhar

Conversaremos agora sobre um dos remédios mais vitais para curar as suas bolsas magras. No entanto, não falarei sobre o ouro, mas sobre vocês mesmos – os homens reais por baixo dessas vestes multicoloridas, que se sentam hoje diante de mim. Falarei com vocês sobre aquelas coisas dentro da mente e da vida das pessoas que trabalham a favor ou contra seu sucesso.

Um dos requisitos mais vitais para aumentar seus ganhos é um forte desejo de ganhar mais, um desejo oportuno e louvável.

Para realizar um desejo, antes de tudo, é preciso desejar. Os nossos desejos devem ser claros e decisivos. Desejos genéricos são apenas aspirações.

Desejar apenas ser rico é somente um pequeno propósito. Mas desejar cinco moedas de ouro é um desejo tangível, que podemos perseguir até que seja realizado. Após realizarmos o desejo de conseguir cinco moedas de ouro, poderemos empregar a mesma firmeza e propósito e encontrar maneiras semelhantes para conseguir dez moedas, e depois vinte, e mais tarde mil moedas – e eis que nos tornamos ricos.

Quando aprendemos a realizar um pequeno desejo de forma decisiva, adquirimos experiência para realizar um desejo maior. Este é o processo pelo qual a riqueza é acumulada: primeiro as pequenas somas, depois as maiores, à medida que você aprende e se torna mais capaz.

Nossos desejos devem ser claros e definidos. Mas, quando são muitos, confusos, ou além da nossa capacidade para realizá-los, eles são fadados ao fracasso.

À medida que nos aperfeiçoamos em nossa vocação, também aumenta a nossa capacidade de ganhar. Nos tempos de juventude, quando eu era um humilde escriba que passava os dias fazendo gravações na argila para os oficiais do governo, observei que outros trabalhadores produziam mais do que eu e ganhavam mais. Então, determinei que eu deveria ser o melhor na minha profissão. Também não demorei muito tempo para descobrir a razão do sucesso deles. Passei a dedicar mais interesse ao meu trabalho, mais concentração em minhas tarefas, mais persistência em meus esforços; e, em pouco tempo, poucos conseguiam esculpir mais tabuinhas em um dia do que eu.

Quanto mais conhecimentos adquirirmos, mais teremos capacidade de ganhar. Aqueles que procuram aprender mais sobre sua profissão serão ricamente recompensados. O conhecimento humano está sempre mudando e evoluindo, e as pessoas de mente perspicaz sempre buscam melhorar suas habilidades, para que possam servir melhor aos seus patrões – de cujo salário dependem. Portanto, exorto todos vocês a estarem na linha de frente do progresso e a não ficarem parados.

Muitas coisas contribuem para enriquecer a vida de uma pessoa que busca a sabedoria. Aqui vão algumas atitudes que vocês devem tomar se respeitam a si mesmos:

- Vocês devem pagar suas dívidas com a maior pontualidade possível e não devem comprar nada que não tenham condições de pagar.
- Vocês devem cuidar de sua família, para que sejam admirados por todos e sempre falem bem de vocês.
- Vocês devem fazer um testamento para que, quando os deuses o chamarem, seja feita uma divisão adequada e honrosa de seus bens.

- Vocês devem ter compaixão pelos que sofrem ou são atingidos pelo infortúnio e ajudá-los de acordo com suas possibilidades.
- Vocês devem ter atenção com aqueles que lhe são queridos.

Assim, o meu sétimo e último conselho é o seguinte: **"Cultivem seus talentos, estudem e tornem-se mais sábios. Busquem aprender novas habilidades e procurem sempre respeitar a si mesmos"**.

CAPÍTULO QUATRO:

ENCONTRE A DEUSA DA BOA SORTE

Todos nós desejamos ser favorecidos pela caprichosa Deusa da Boa Sorte. Existe alguma maneira de encontrá-la e atrair não apenas sua atenção favorável, mas também seus generosos favores? Existe alguma maneira de atrair a boa sorte?

Era exatamente isso que os habitantes da antiga Babilônia desejavam saber.

Entre os muitos que frequentavam o Templo do Saber, havia um sábio homem chamado Arkad, o homem mais rico da Babilônia. Ele tinha seu próprio salão especial, onde quase todas as noites um grande grupo se reunia para aprender e discutir vários assuntos interessantes. Vamos acompanhá-los, para descobrir se eles sabiam como atrair a boa sorte.

– Não vejo razões – começou Arkad – para que a boa deusa da sorte se interesse pelas corridas de cavalos ou pelas mesas de jogo. Para mim, ela é uma deusa de amor e dignidade, cujo prazer é ajudar os necessitados e recompensar os merecedores.

No cultivo do solo, no comércio honesto, em todas as ocupações do ser humano, existe a oportunidade de lucrar com seus esforços e suas transações. Nem sempre somos recompensados, porque às vezes nosso julgamento pode ser falho; outras vezes, os ventos e o clima podem vencer nossos esforços. No entanto, se persistirmos, teremos sucesso em obter nosso lucro. Isso acontece porque as chances de lucro estão sempre a nosso favor.

No entanto, quando uma pessoa aposta seu dinheiro em jogos, a situação se inverte; pois as chances de lucro estão sempre contra ela.

Devemos buscar a boa sorte nos lugares que a deusa frequenta. Consideremos, por exemplo, os nossos empregos e os nossos negócios. Quando concluímos uma transação lucrativa, o que é mais natural: considerá-la um acaso da sorte ou uma justa recompensa por nossos esforços? Estou inclinado a pensar que podemos estar desprezando as dádivas da deusa. Talvez ela realmente nos ajude, mesmo quando não apreciamos sua generosidade.

– Quem entre vocês – perguntou Arkad – já teve a sorte ao seu alcance apenas para vê-la escapar?

Muitos levantaram as mãos.

– Quando uma boa oportunidade surge diante de você – continuou o sábio –, ela oferece uma chance que pode levá-lo à riqueza. Peço a vocês, não a deixem escapar. A boa sorte sempre vem para aqueles que agarram as oportunidades.

Para construir um patrimônio, sempre deve haver um começo. Este começo podem ser algumas moedas de ouro ou de prata que você separa de seus ganhos para fazer o seu primeiro investimento.

Dar o primeiro passo para a construção de um patrimônio é a maior sorte que pode acontecer para alguém. Esse primeiro passo – que nos transforma de pessoas que ganham com o suor de seu trabalho em pessoas que também ganham lucros com seu próprio dinheiro – é o mais importante. Alguns, felizmente, tomam essa atitude quando jovens e tornam-se mais bem-sucedidos do que aqueles que o fazem mais tarde.

A oportunidade não espera por ninguém. Se você deseja ter sorte, precisa agir rápido.

Há muita sabedoria em fechar um negócio imediatamente, quando temos certeza de que é uma boa oportunidade. Se a oferta for boa, então você precisa se proteger contra suas próprias fraquezas, tanto quanto contra qualquer outro concorrente. Nós, como meros mortais, somos mutáveis. Infelizmente, devo dizer que somos mais aptos a mudar de opinião quando estamos certos do que quando estamos errados. Quando estamos errados, continuamos sendo teimosos. Mas, quando estamos certos, somos propensos a vacilar e deixar escapar a oportunidade.

Nosso primeiro julgamento é sempre o melhor; mas o espírito de procrastinação está dentro de cada um de nós. Desejamos riqueza; no entanto, quantas vezes, quando a oportunidade aparece diante de nós, esse espírito de procrastinação nos convida a adiar as coisas, e aceitamos? Quando damos ouvidos a ele, nós nos tornamos nossos próprios piores inimigos.

A verdade é esta: a boa sorte pode ser atraída quando estamos atentos às oportunidades.

Aqueles que são ansiosos por aproveitar as oportunidades em seu próprio benefício atraem o interesse da boa deusa. Ela está sempre ansiosa para ajudar aqueles que a agradam. E são as pessoas de ação que fazem isso melhor.

AS PESSOAS DE AÇÃO SÃO FAVORECIDAS PELA DEUSA DA BOA SORTE.

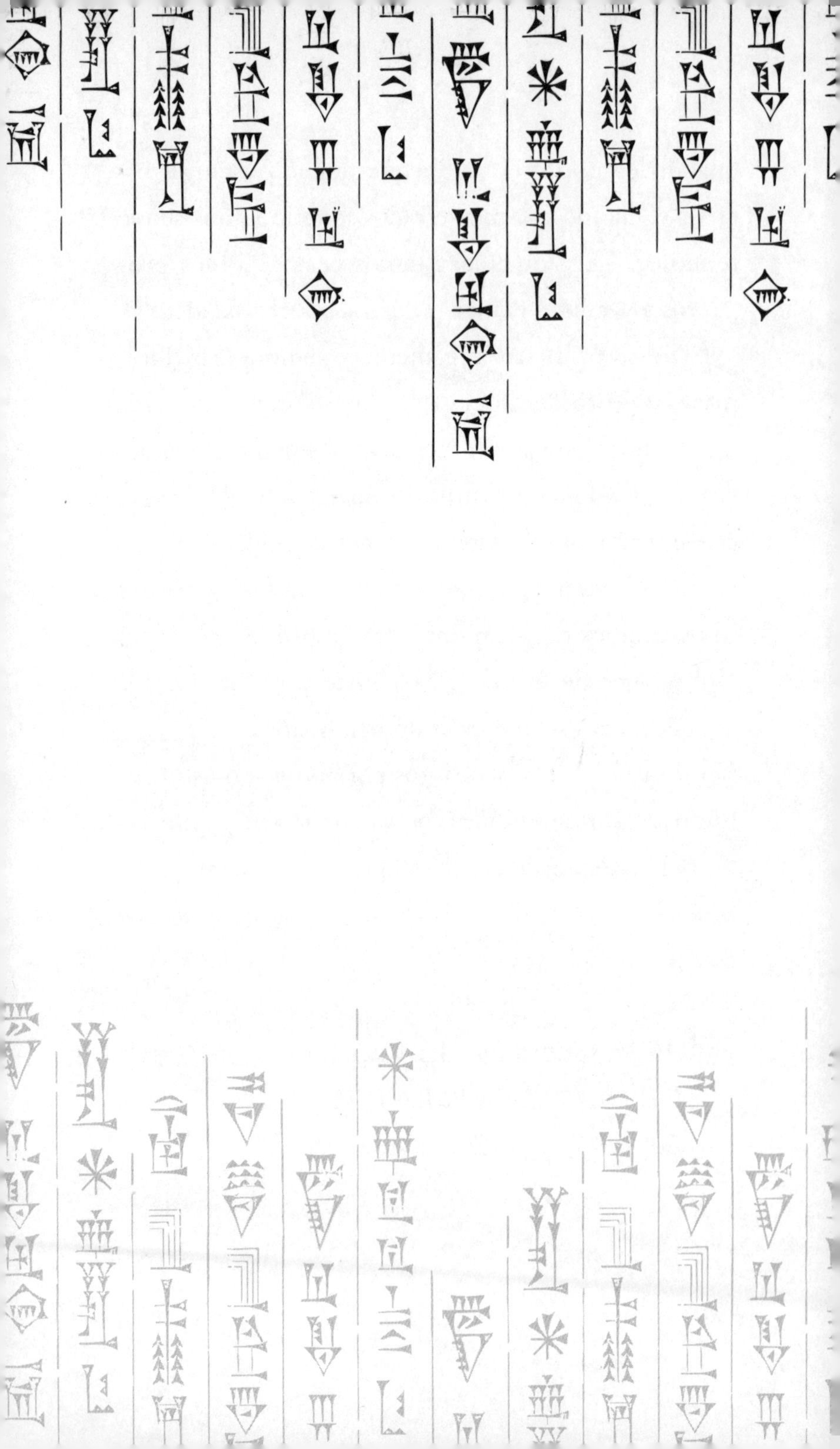

CAPÍTULO CINCO:

AS CINCO LEIS DO OURO

O ouro é reservado para aqueles que conhecem suas leis e as cumprem. Por isso, vamos refletir sobre as leis que aprendemos até agora. Aqui está:

As cinco leis do ouro

1. O ouro vem de bom grado e em quantidade crescente para todo aquele que guarda não menos do que um décimo de seus ganhos para criar um patrimônio para seu futuro e o de sua família.
2. O ouro trabalha com alegria e diligência para a pessoa prudente que encontra para ele um investimento lucrativo, multiplicando-se como os rebanhos no campo.
3. O ouro busca ficar sob a proteção do proprietário cauteloso, que o investe de acordo com o conselho de pessoas mais experientes em seu manuseio.
4. O ouro foge da pessoa que o investe em negócios ou propósitos com os quais não está familiarizada, ou que não são aprovados por aqueles que são hábeis em poupá-lo.
5. O ouro foge daqueles que o forçam a ganhos impossíveis, ou que seguem os conselhos sedutores

de trapaceiros e fraudadores, ou que confiam em sua própria inexperiência e seus desejos loucos na hora de investi-lo.

Estas são as Cinco Leis do Ouro. Eu as proclamo como mais valiosas do que o próprio ouro, pois elas demonstram como mantê-lo sempre protegido.

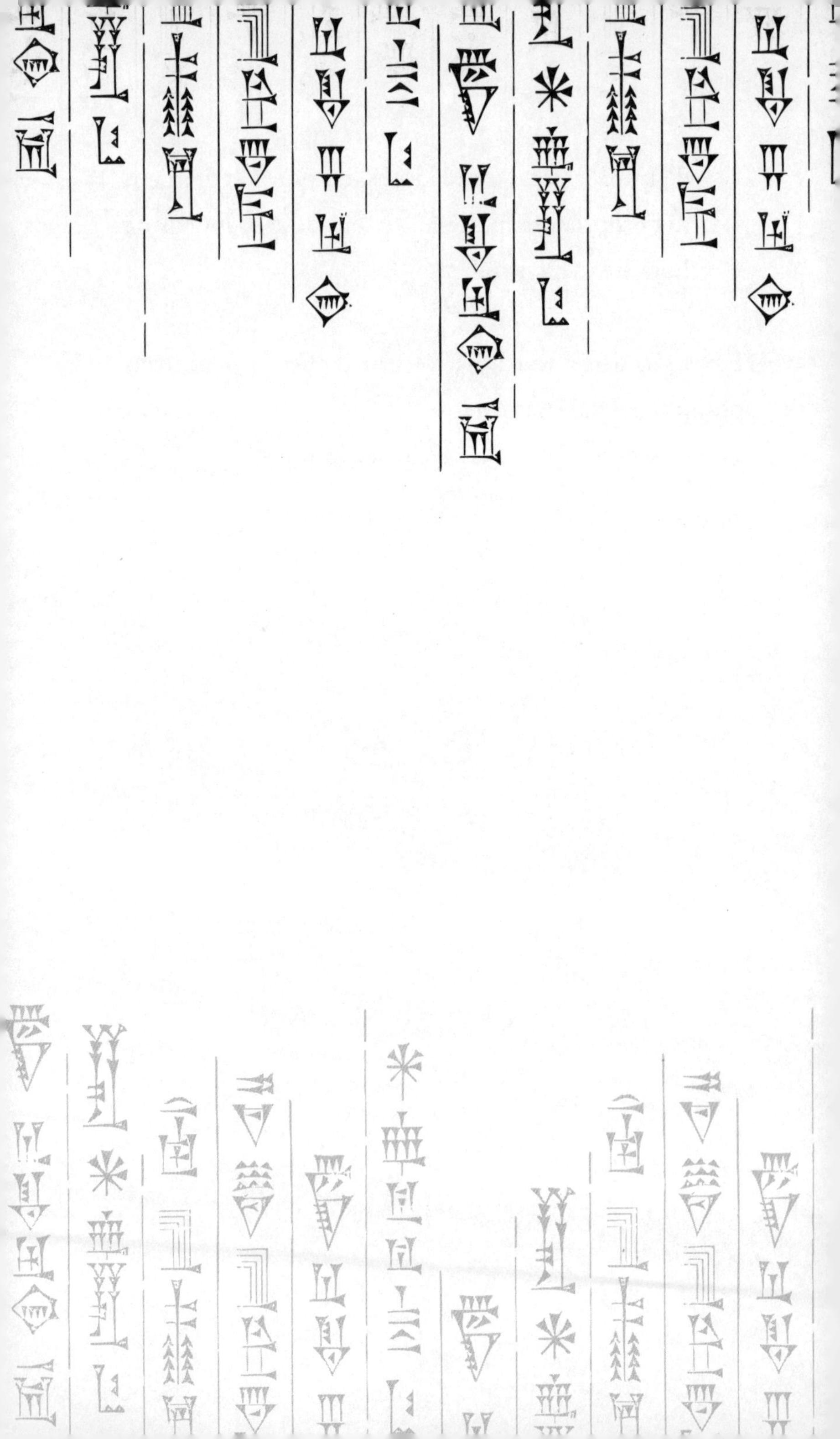

CAPÍTULO SEIS:

O CREDOR DA BABILÔNIA

Certa vez, um homem que emprestava ouro aos habitantes da Babilônia disse o seguinte:

O ouro traz responsabilidades ao seu detentor e uma mudança de atitude com seus semelhantes. Traz o medo de perdê-lo ou de se separar dele. Traz uma sensação de poder, assim como a capacidade de fazer o bem.

Por outro lado, o ouro pode trazer oportunidades para que suas boas intenções o coloquem em dificuldades. Se você deseja ajudar um amigo, faça isso de uma forma que não coloque o fardo dele sobre seus próprios ombros.

Os empréstimos mais seguros (minha caixinha de penhores me diz isso) são para aqueles cujos bens têm mais valor do que o empréstimo que eles desejam. Eles possuem terras, ou joias, ou camelos, ou outras coisas que poderiam ser vendidas para saldar a dívida.

Alguns dos penhores que recebi são joias mais valiosas do que o empréstimo. Outros são notas promissórias afirmando que, se o empréstimo não for pago conforme o combinado, essas pessoas irão me transferir uma propriedade. Em transações como essas, tenho certeza de que meu ouro será devolvido com juros, pois o empréstimo é baseado no valor da propriedade.

Em outra classe, estão aqueles que têm capacidade de ganhar dinheiro. Eles trabalham ou prestam serviços, por isso são pagos. Eles têm uma renda e, se forem honestos e não sofrerem nenhuma desventura, sei que também poderão pagar o ouro que lhes empresto e os juros a que tenho direito. Tais empréstimos são baseados no esforço humano.

Outros são aqueles que não têm propriedades, nem uma renda assegurada. A vida é dura, e sempre haverá alguns que não conseguem se ajustar a ela. Infelizmente, minha caixa de penhores me proíbe de fazer esse tipo de empréstimo, mesmo que seja uma única moeda – a menos que seja garantido por bons amigos do mutuário, que o vejam como uma pessoa honrada.

E lembre-se de que os seres humanos sob a ação de fortes emoções nunca são um risco seguro para um credor.

A juventude é ambiciosa e gosta de encontrar atalhos para a riqueza e para as coisas boas que ela representa. Para enriquecer rapidamente, os jovens muitas vezes pedem dinheiro emprestado de forma insensata. Como nunca tiveram experiência, não conseguem perceber que a dívida pode ser como um poço profundo, onde podemos afundar rapidamente e ficar lutando em vão por muitos dias. É um poço de tristeza e arrependimento, onde o brilho do sol não consegue chegar, e a noite traz agitados pesadelos.

No entanto, não desencorajo aqueles que pedem ouro emprestado. Eu os encorajo. Até recomendo que façam isso, se for para um propósito sábio. Eu mesmo fiz meu primeiro negócio bem-sucedido com ouro emprestado.

Mas não se deixe influenciar pelos planos fantásticos de homens inexperientes, que acreditam em maneiras de fazer o seu ouro render lucros excepcionalmente altos. Tais planos são criações de sonhadores, que nada sabem a respeito das leis seguras e confiáveis do comércio.

Seja conservador quanto às suas expectativas, para que possa manter e desfrutar de seu tesouro. Entregá-lo sob a promessa de retornos mirabolantes é um convite à perda.

Negocie com pessoas e empresas cujo sucesso seja estabelecido, para que seu tesouro possa render livremente sob suas mãos hábeis e ser guardado com segurança pela sua sabedoria.

Vale a pena ler isto que escrevi sob a tampa da minha caixa de penhores. Isto se aplica igualmente ao devedor e ao credor:

É MELHOR TER UM POUCO DE CAUTELA DO QUE UM GRANDE ARREPENDIMENTO.

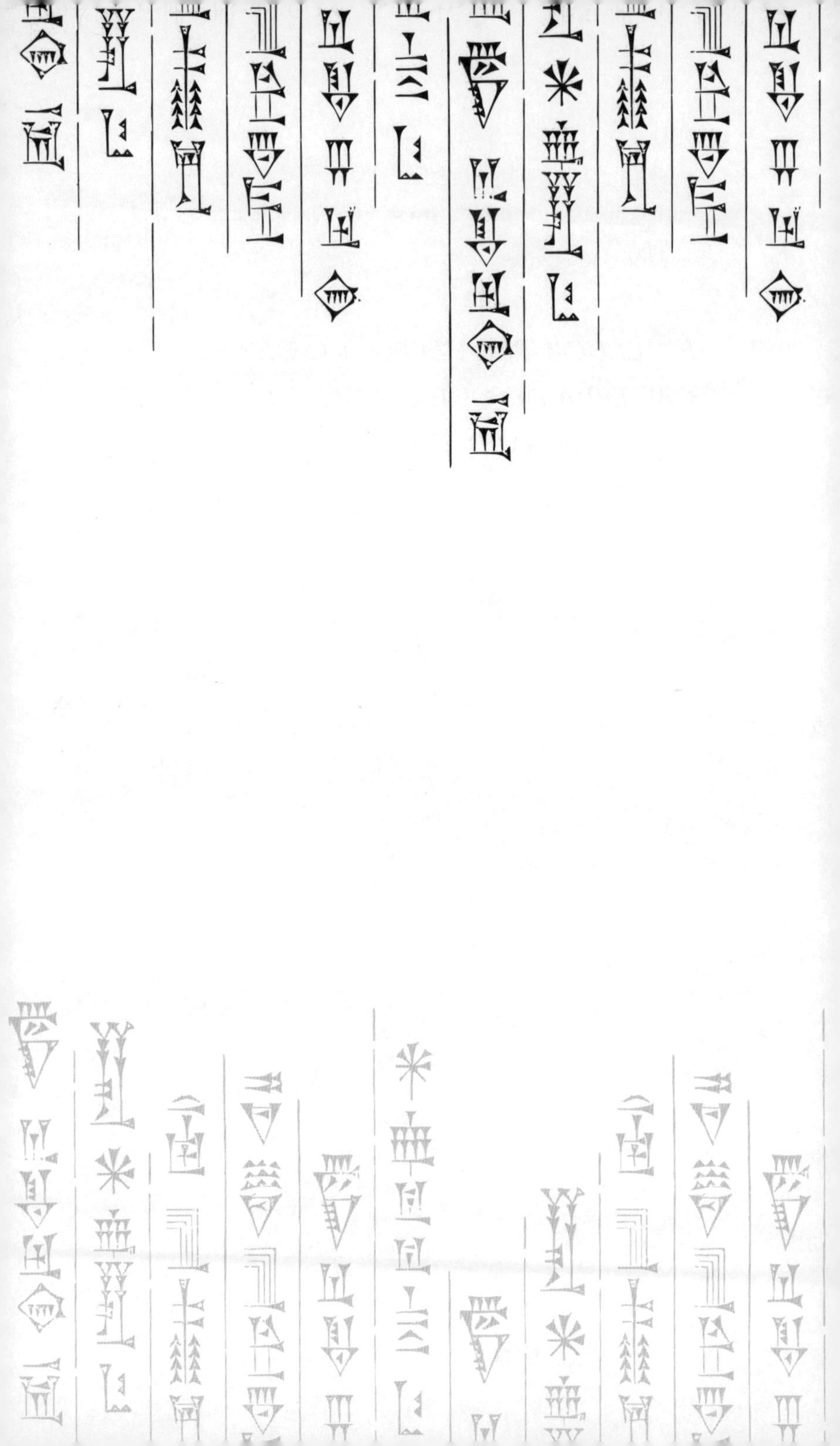

CAPÍTULO SETE:

O VENDEDOR DE CAMELOS DA BABILÔNIA

Quanto mais sentimos fome, mais aguçada se torna a nossa mente – e também mais sensível aos odores dos alimentos.

Tarkad certamente pensava assim. Durante dois dias inteiros, ele não havia comido nada, a não ser dois figos que conseguira furtar nos muros de um jardim. Ele nunca havia reparado na quantidade de comida que havia nos mercados da Babilônia, e como ela cheirava bem.

Perdido em seus pensamentos, de repente ele se viu frente a frente com o único homem que não queria ver: a figura alta e ossuda de Dabasir, o vendedor de camelos. Dentre todos os seus amigos, e muitos outros a quem ele pedira emprestado pequenas somas, era Dabasir que o fazia sentir-se mais desconfortável por sua falta de pagamento.

Ao encontrar seu olhar, Tarkad gaguejou, e seu rosto ficou corado. Ele não tinha nada em seu estômago vazio e não tinha forças para discutir com Dabasir.

– Sinto muito, sinto muito – disse ele –, mas hoje não tenho nenhuma moeda de cobre ou de prata para poder lhe pagar.

– Ora, o que é isso – disse Dabasir. – Certamente você pode conseguir alguns tostões ou uma moeda de prata para retribuir a generosidade de um velho amigo de seu pai, que o ajudou quando você estava em necessidade.

– É porque a má sorte me persegue, por isso não posso pagar.

– Má sorte! Você culpa os deuses pela sua própria fraqueza? A má sorte persegue todo homem que pensa mais em pedir emprestado do que em pagar. Venha comigo, rapaz, enquanto almoço. Estou com fome e gostaria de contar uma história.

Após se instalarem à mesa do restaurante, Dabasir começou:

> Quando eu era jovem, aprendi o ofício de meu pai, a fabricação de selas. Eu trabalhava com ele em sua loja, quando me casei. Sendo jovem e não muito hábil, ganhava dinheiro, mas pouco; apenas o suficiente para sustentar minha excelente esposa de maneira modesta. Eu ansiava por coisas boas que não podia pagar. Logo descobri que os lojistas podiam me dar crédito, para pagar mais tarde, mesmo que eu não conseguisse pagar no prazo.
>
> Sendo jovem e inexperiente, eu não sabia que aquele que gasta mais do que ganha está semeando os ventos da irresponsabilidade, uma coisa desnecessária da qual certamente colherá redemoinhos de

problemas e humilhação. Por isso, eu me entreguei a meus caprichos por roupas finas e comprei coisas caras para minha boa esposa e para nossa casa, além de nossas possibilidades.

Paguei como pude, e por um tempo tudo correu bem. Mas com o tempo descobri que não podia usar meus ganhos para viver e conseguir pagar minhas dívidas. Os credores começaram a me perseguir para que eu pagasse por minhas compras extravagantes, e a minha vida se tornou insuportável. Pedi emprestado a meus amigos, mas também não pude pagá-los. As coisas foram de mal a pior. Minha esposa voltou para a casa de seu pai, e decidi deixar a Babilônia e procurar outra cidade onde um jovem pudesse ter melhores chances.

Durante dois anos, tive uma vida atribulada e sem sucesso, trabalhando para comerciantes de caravanas. Quando dei por mim, fazia parte de um grupo de simpáticos assaltantes que vasculhavam o deserto em busca de caravanas desarmadas. Tais atos eram indignos do filho de meu pai, mas eu via o mundo através de um prisma colorido e não percebia a degradação em que eu havia caído.

Um dia, nossos líderes foram mortos, e o resto de nós foi levado para Damasco – onde fomos despojados de nossas roupas e vendidos como escravos.

Quando eu estava no cativeiro, contei minha história à esposa de meu novo mestre. Em vez de expressar piedade, ela respondeu:

– Como você pode dizer que é um homem livre quando sua própria fraqueza o trouxe a essa condição? Se um homem carrega dentro de si a alma de um escravo, não é isso que ele se tornará, não importa o seu nascimento, assim como a água busca seu nível? Se um homem carrega dentro de si a alma de um homem livre, não se tornará respeitado e honrado em sua própria cidade, apesar de sua desgraça?

Como permaneci em silêncio, ela me perguntou:

– Você tem vontade de pagar as dívidas que fez na Babilônia?

– Sim, tenho esse desejo, mas não vejo como – disse eu.

– Se você deixar a vida passar e não fizer nenhum esforço para isso, então você tem apenas a alma desprezível de um escravo. Assim também é o homem que não respeita a si mesmo; e nenhum homem pode respeitar a si mesmo se não pagar suas dívidas honestamente.

– Mas o que posso fazer, se sou um escravo na Síria?

– Permaneça como um escravo na Síria, seu fraco.

– Eu não sou um fraco! – disse eu.

– Então, prove.

– Como?

– O nosso grande rei não luta contra seus inimigos, de todas as maneiras possíveis, e com todas as forças que tem? Pois bem, as suas dívidas são suas inimigas. Elas o expulsaram da Babilônia. Você as abandonou, e elas se tornaram fortes demais para você. Se tivesse lutado contra elas como um homem, poderia tê-las vencido e ser um homem honrado entre os habitantes da cidade. Mas você não teve coragem para combatê-las, e eis que o seu amor-próprio foi diminuindo, até você se tornar um escravo na Síria.

Pensei muito sobre aquelas acusações e elaborei muitas frases defensivas para provar que eu não era um escravo em meu coração, mas não ousei proferi-las.

Três dias depois, ela veio até mim e disse:

– Sele os dois melhores camelos do rebanho do meu marido. Providencie alguns odres de água e alforges para os alimentos, pois faremos uma longa viagem.

Quando chegamos ao nosso destino, ela me perguntou:

– Dabasir, você tem a alma de um homem livre ou a alma de um escravo?

– A alma de um homem livre – disse eu.

– Agora é a sua chance de provar isso. Pegue estes camelos e fuja.

Ela não precisou insistir; agradeci e parti durante a noite.

Dia após dia, eu me arrastei pelo deserto. A comida e a água estavam no fim. O calor do sol era impiedoso. Ao final do nono dia, caí do dorso da minha montaria, com a sensação de que estava fraco demais para voltar a montar e de que eu certamente morreria.

Olhei ao longe naquele deserto estéril, e mais uma vez veio até mim a pergunta: "Eu tenho a alma de um escravo ou a alma de um homem livre?". Então percebi que, se eu tivesse a alma de um escravo, deveria desistir, deitar-me na areia e morrer ali mesmo.

Mas e se eu tivesse a alma de um homem livre, o que faria? Certamente tomaria meu caminho de volta à Babilônia, recompensaria as pessoas que confiaram em mim, traria felicidade à minha esposa, que realmente me amava, e daria paz e contentamento aos meus pais.

"As suas dívidas são os inimigos que o expulsaram da Babilônia", havia dito a minha senhora. Sim, era isso. Por que eu havia me recusado a me defender como um homem?

Então, uma coisa estranha aconteceu. Todo o mundo começou a ficar de uma cor diferente. O prisma colorido foi retirado de meus olhos, e finalmente eu enxergava os verdadeiros valores da vida.

Morrer no deserto? Eu não! Com essa nova visão, vi as coisas que deveria fazer. Primeiro eu voltaria à Babilônia e procuraria cada um dos meus credores. Deveria dizer a eles que, após muitos anos de peregrinação e desgraças, eu tinha voltado para pagar minhas dívidas o mais rápido que os deuses permitissem. Em seguida, deveria construir um lar para minha esposa e me tornar um cidadão do qual meus pais poderiam se orgulhar.

Eu cambaleava sobre os meus pés. O que importava a fome? O que importava a sede? Eram apenas obstáculos no meu caminho de volta para a Babilônia. Dentro de mim surgiu a alma de um homem livre, que voltava para vencer seus inimigos e recompensar seus amigos. Fiquei emocionado com essa grande determinação.

Meus camelos e eu encontramos água. Passamos por uma região mais fértil, onde havia grama e frutas. Por fim, encontramos a estrada para a Babilônia, porque a alma de um homem livre vê a vida como uma série de problemas a serem resolvidos e os resolve

– enquanto a alma de um escravo se lamenta: "O que posso fazer se sou apenas um escravo?".

– E quanto a você, Tarkad? O seu estômago vazio não deixa os seus pensamentos mais claros? Você está pronto para tomar o caminho que trará de volta o seu amor-próprio? Consegue ver o mundo em sua verdadeira cor? Tem o desejo de pagar suas dívidas, por mais que sejam muitas, e voltar a ser um homem respeitado na Babilônia?

Todos os jovens presentes estavam com os olhos cheios de lágrimas. Tarkad se ajoelhou com avidez:

– Você abriu os meus olhos; já sinto a alma de um homem livre renascer dentro de mim.

– Onde estiver a sua determinação, ali estará o seu caminho – disse Dabasir, voltando ao seu relato.

Agora eu estava determinado e me propus a encontrar o meu caminho. Primeiro visitei cada um dos meus credores e implorei por sua indulgência até que eu pudesse ganhar o suficiente para pagá-los. A maioria deles me recebeu de bom grado. Vários me insultaram, mas outros se ofereceram para me ajudar. Um deles, por fim, ofereceu-me a ajuda de que eu precisava.

> Aos poucos, consegui pagar cada moeda de cobre e cada moeda de prata. Então, finalmente pude levantar a cabeça e sentir que era um cidadão honrado entre os homens.

Assim terminava a história de Dabasir, o vendedor de camelos da velha Babilônia. Ele reencontrou sua própria essência quando percebeu uma grande verdade; uma verdade que já era conhecida pelos sábios muito antes de seu tempo.

Ela tem ajudado pessoas de todas as idades a sair das dificuldades e alcançar o sucesso, e assim será para todos aqueles que tiverem a sabedoria para compreender seu poder mágico. Isso vale para qualquer pessoa que ler estas palavras:

ONDE ESTIVER A SUA DETERMINAÇÃO, ALI ESTARÁ O SEU CAMINHO.

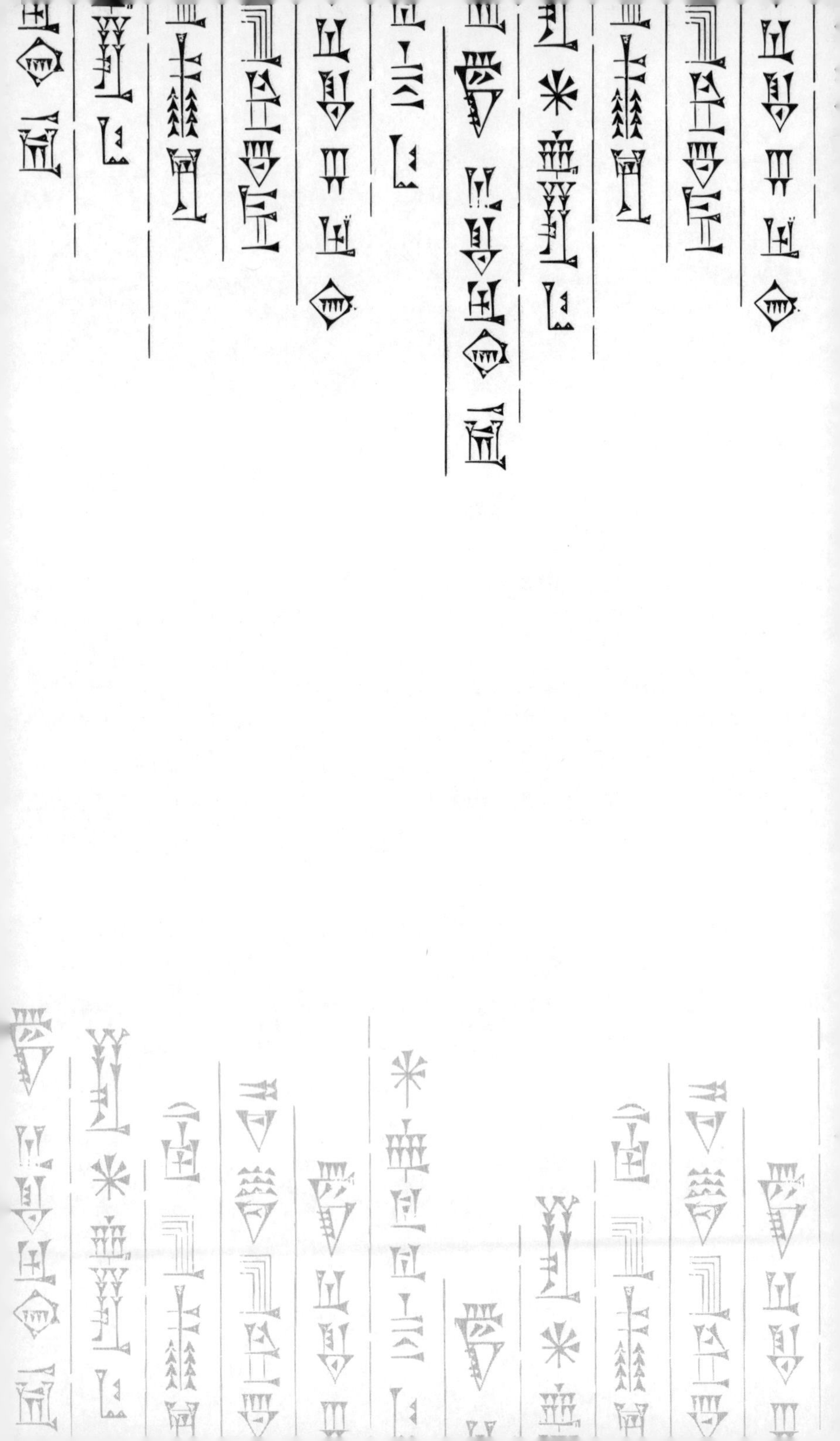

CAPÍTULO OITO:

O HOMEM MAIS SORTUDO DA BABILÔNIA

Sharru Nada, o maior comerciante da Babilônia, cavalgava orgulhosamente à frente de sua caravana. Ele gostava de tecidos finos e ostentava túnicas ricas e elegantes. Também apreciava os animais de raça e vinha montado em seu imponente garanhão árabe. A maioria das pessoas que o contemplavam desconhecia o seu maior segredo: muitos anos antes, ele havia sido um escravo naquela mesma cidade, que agora o acolhia entre seus cidadãos mais ricos.

Seu jovem amigo Hadan Gula interrompeu seus pensamentos:

– Por que você trabalha tanto, sempre acompanhando sua caravana em suas longas viagens? Se eu tivesse riqueza como a sua, viveria como um príncipe. Nunca atravessaria a cavalo esse deserto quente. Gastaria os meus siclos de prata tão rápido quanto eles chegassem à minha bolsa. Isso, sim, seria uma boa vida! Uma vida que valeria a pena.

– Você não reservaria um tempo para trabalhar? – perguntou o homem mais velho.

– O trabalho foi feito para os escravos – disse Hadan Gula.

– O seu avô não contou a você que já fui escravo?

– Ele falava muito sobre você, mas nunca insinuou nada sobre isso.

– Qualquer homem pode vir a ser escravo. Foi uma casa de jogos e a cerveja de cevada que me levaram ao desastre.

– Mas conte-me, como você recuperou a liberdade? – perguntou Hadan Gula.

Sharru Nada começou a narrar as histórias de sua juventude:

> Na primeira noite que passei no acampamento de escravos, esperando para ser vendido na manhã seguinte, o terror se apoderou de mim. Eu não consegui dormir. Fiquei agachado ao lado das correntes e, enquanto os outros dormiam, atraí a atenção de Godoso, que estava fazendo a primeira vigília da guarda.
>
> – Ei, Godoso! – sussurrei. – Quando chegarmos à Babilônia, seremos vendidos para trabalhar nas muralhas? – Pois a tarefa de construir as muralhas da cidade era brutal, e uma sentença de morte quase certa.
>
> – Por que você quer saber? – perguntou ele.
>
> – Você não entende? – eu disse. – Sou jovem. Quero viver. Não quero trabalhar ou ser espancado

até a morte nas muralhas. Há alguma chance de eu conseguir um bom mestre?

Ele sussurrou de volta:

– Vou contar uma coisa, mas não me cause problemas, meu bom amigo. Na maioria das vezes, vamos primeiro ao mercado de escravos. Agora, escute. Quando os compradores vierem, diga a eles que você é um bom trabalhador e que gosta de trabalhar duro para um bom mestre. Faça de tudo para que eles queiram comprá-lo. Se não fizer isso, no dia seguinte será colocado para carregar tijolos. É um trabalho pesado demais.

Depois que ele se afastou, fiquei deitado na areia quente, olhando para as estrelas e pensando em trabalho. Outro escravo, um sábio chamado Megiddo, dizia-me que o trabalho era seu melhor amigo. Isso me fez pensar se comigo também seria assim. Certamente seria, se o trabalho me ajudasse a sair daquela situação.

Na manhã seguinte, Megiddo conversou comigo com seriedade para me convencer de que o trabalho seria valioso para mim no futuro:

– Alguns homens odeiam o trabalho. Eles fazem dele seu pior inimigo. É melhor tratá-lo como um amigo. Não importa o quanto seja difícil. Quando você pensa em construir uma boa casa, não se importa se as vigas são pesadas, ou se está longe do poço para carregar a água para o reboco. Prometa-me, rapaz: se você conseguir um mestre, trabalhe para ele o mais duro que puder. Se ele não apreciar tudo o que você fizer, não importa. Lembre-se, o trabalho bem-feito faz bem ao homem que o faz. Isso faz dele um homem melhor.

Assim que ele terminou de falar, um agricultor corpulento se aproximou das grades e começou a nos examinar. Megiddo perguntou a ele sobre sua fazenda e suas plantações, e logo o convenceu de que seria um servo valioso. Após uma violenta negociação com o mercador de escravos, o fazendeiro tirou uma gorda bolsa de baixo de seu manto, e Megiddo foi embora com seu novo mestre, para longe da minha vista.

Outros bons homens foram vendidos naquela manhã. Ao meio-dia, Godoso sussurrou para mim que o mercador estava cansado e não ficaria ali mais uma noite; ao entardecer, ele levaria todos os escravos que restavam para o comprador do rei, pois seriam colocados para trabalhar nas muralhas. Eu começava a ficar desesperado, quando um homem gordo e bem-humorado se aproximou e perguntou se havia algum padeiro entre nós.

Aproximei-me dele, dizendo:

– Por que um padeiro tão bom como você procura por outro padeiro com talentos inferiores? Não seria mais fácil ensinar suas preciosas habilidades a um homem disposto como eu? Olhe para mim: sou jovem, forte e gosto de trabalhar. Dê-me uma chance, e farei o meu melhor para ganhar ouro e prata para a sua bolsa.

Ele ficou impressionado com a minha disposição e começou a negociar com o mercador. Finalmente, para minha alegria, o negócio foi fechado. Segui meu novo mestre, pensando que eu era o homem mais sortudo da Babilônia.

Minha nova casa era muito do meu agrado. Nana-naid, meu mestre, ensinou-me a moer a cevada na mó de pedra que ficava no pátio; a acender a lenha no forno, e depois a produzir a fina farinha de gergelim para fazer os bolos de mel. Eu tinha uma cama no galpão, onde os grãos ficavam armazenados. A velha governanta, Swasti, alimentava-me bem e ficava feliz quando eu a ajudava nas tarefas pesadas.

Ali estava a oportunidade que eu desejava para me tornar valioso para meu mestre e, quem sabe, encontrar uma maneira de ganhar minha liberdade.

Pedi a Nana-naid que me ensinasse a fazer a massa do pão. E ele me ensinou, muito satisfeito com o meu interesse. Mais tarde, quando eu já dominava totalmente essa habilidade, pedi que ele me mostrasse como fazer os bolos de mel, e em pouco tempo eu já sabia assar todos os tipos de pães. Meu mestre ficou feliz por finalmente ter algum tempo livre, mas Swasti balançava a cabeça em desaprovação:

– Não ter nada para fazer é algo muito ruim para qualquer pessoa – declarou ela.

Senti que já era hora de pensar em uma maneira de começar a ganhar moedas e comprar minha liberdade. Como o assamento dos pães terminava ao meio-dia, pensei que Nana-naid aprovaria se eu encontrasse uma atividade lucrativa para as nossas tardes e pudesse dividir os ganhos comigo. Então surgiu uma ideia: por que não assar mais bolos de mel e vendê-los às pessoas famintas nas ruas da cidade?

Quando lhe apresentei o meu plano de vender nossos bolos de mel, ele ficou muito satisfeito.

– Eis o que vamos fazer – sugeriu. – Você venderá dois bolinhos por uma moeda. Então metade das moedas será minha, para comprar a farinha, o mel e a lenha para o forno. Quanto ao restante, podemos dividir meio a meio.

Fiquei muito satisfeito com aquela generosa oferta, pois eu poderia guardar um quarto das minhas vendas para mim mesmo. Trabalhei dia e noite, e o sucesso com a venda dos meus bolos de mel foi aumentando. Meu mestre estava muito satisfeito. E, com o passar dos meses, continuei a acrescentar moedas à minha bolsa. Era muito reconfortante sentir aquele peso na cintura. O trabalho estava provando ser meu melhor amigo, assim como Megiddo havia me dito.

Eu estava cada vez mais feliz, mas Swasti andava preocupada.

– Pobre do nosso mestre! Temo que ele esteja passando tempo demais nas casas de jogos – disse ela.

Como eu saía com minha bandeja de bolos todos os dias, logo comecei a ter clientes regulares. Um deles era ninguém menos que o seu avô, Arad Gula. Ele era comerciante de tapetes e vendia para as donas de casa, indo de uma ponta à outra da cidade, acompanhado por um burro carregado de tapetes.

Ele comprava dois bolos para si mesmo e dois para seu escravo e sempre parava para conversar comigo enquanto eles comiam.

Um dia, o seu avô me disse algo que sempre lembrarei:

– Eu gosto dos seus bolinhos, rapaz! Mas gosto ainda mais da bela maneira como você trabalha. Esse espírito ainda vai levá-lo longe no caminho do sucesso.

Mas, como você deve compreender, Hadan Gula, o que essas palavras de encorajamento poderiam significar para mim? Um rapaz escravo, sozinho em uma grande cidade, lutando com todas as forças para encontrar uma saída para sua humilhação?

Um dia, quando eu estava no mercado, Arad Gula me perguntou: "Por que você trabalha tão duro?". Quase a mesma pergunta que você me fez agora há pouco, lembra?

Contei a ele o que Megiddo me dizia sobre o trabalho, e como ele estava provando ser o meu melhor amigo. Mostrei a ele com orgulho minha bolsa cheia de moedas e expliquei que estava economizando para comprar minha liberdade.

– Quando você for um homem livre, o que vai fazer? – perguntou ele.

– Pretendo me tornar comerciante – respondi.

Foi então que ele fez a mim uma revelação, algo de que eu nunca havia suspeitado:

– Você sabia que eu também sou escravo? Trabalho em sociedade com o meu mestre.

Depois de me contar que era escravo, ele explicou o quanto estava ansioso para também ganhar a liberdade. Ele já tinha dinheiro suficiente para isso, mas estava muito indeciso sobre o que deveria fazer. As vendas já não andavam boas, e ele tinha medo de deixar a proteção de seu mestre. Então protestei contra sua indecisão:

– Não fique apegado ao seu mestre. Experimente mais uma vez a sensação de ser um homem livre! Aja como um homem livre e tenha sucesso como um! Decida o que você deseja realizar, então o trabalho irá ajudá-lo a consegui-lo!

Ele seguiu seu caminho, dizendo como estava feliz por eu tê-lo encorajado.

Quando voltei para casa, soube que os medos de Swasti tinham fundamento. As perdas do meu mestre no jogo tinham se acumulado, e descobri que ele tinha me usado como garantia.

Enquanto eu assava os pães na manhã seguinte, o credor chegou com um homem chamado Sasi. Este homem me examinou e disse que eu servia.

O credor não esperou pelo retorno de meu mestre. Apenas com o meu manto nas costas e a bolsa de moedas presa à minha cintura, fui acorrentado e levado às pressas. Fui arrebatado de minhas mais queridas esperanças, assim como um furacão arranca a árvore da floresta e a lança no mar revolto. Mais uma vez, uma casa de jogos e as bebidas foram a causa da minha desgraça.

Sasi era um homem rude e agressivo. Enquanto me conduzia pela cidade, contei a ele sobre o bom trabalho que eu vinha fazendo para Nana-naid e disse que também esperava prestar um bom serviço a ele. Ele nem me deu ouvidos e disse que eu iria trabalhar nas muralhas.

As muralhas eram exatamente como eu tinha ouvido falar. Imagine um deserto sem árvores; apenas arbustos baixos e um sol que queimava com tanta fúria que a água em nossos barris fervia, e mal podíamos beber. Depois, imagine filas de homens descendo para a escavação profunda e carregando cestos pesados de entulho, através de trilhas poeirentas, desde o raiar do dia até o anoitecer. Imagine alimentos servidos em cochos abertos, dos quais nos servíamos como porcos. Não havia tendas, não havia palha para nossas camas. Essa foi a situação em que me encontrei. Enterrei minha bolsa em um lugar marcado, mas não tinha muitas esperanças de um dia vê-la novamente.

No início, trabalhei com boa vontade; mas, com o passar dos meses, senti meu espírito desmoronar. Depois, a febre tomou conta do meu corpo cansado. Perdi o apetite e quase não conseguia comer. À noite, era abatido por uma triste insônia.

Mas eu não tinha demonstrado tanta disposição para trabalhar quanto Megiddo? Duvido que ele tivesse trabalhado mais do que eu. Por que meu trabalho não me trouxe felicidade e sucesso? Eu deveria trabalhar pelo resto da vida, sem realizar meus desejos? Todas essas perguntas remexiam em minha mente, e eu não encontrava uma resposta. Na verdade, estava muito confuso.

Muitos dias depois, quando eu já parecia estar no limite da minha resistência e com minhas perguntas ainda sem resposta, Sasi mandou me chamar. Um mensageiro de meu mestre veio me buscar, para me levar de volta à Babilônia. Desenterrei minha preciosa bolsa, envolvi-me nos restos esfarrapados do meu manto e seguimos nosso caminho.

Quando entramos no pátio da casa do meu mestre, imagine minha surpresa quando vi Arad Gula à minha espera. Ele me ajudou a descer e me abraçou como um irmão perdido há muito tempo.

Enquanto seguíamos para o interior da casa, comecei a segui-lo como escravo, mas ele não permitiu. Pôs seu braço sobre o meu ombro, dizendo:

– Procurei você por toda parte! Quando já tinha quase perdido a esperança, encontrei Swasti, que me contou sobre o credor, e este me conduziu ao seu novo proprietário. Foi uma negociação difícil, e ele me fez pagar um preço ultrajante; mas por você, valeu a pena. Sua filosofia e sua iniciativa foram a inspiração para o meu sucesso. Venha comigo para Damasco, pois preciso de você como meu sócio. Você é um homem livre.

Lágrimas de gratidão encheram meus olhos. Naquele momento, eu soube que era o homem mais sortudo da Babilônia.

Na época de minha maior angústia, o trabalho realmente provou ser meu melhor amigo. Primeiro, a minha vontade de trabalhar permitiu que eu escapasse de ser vendido para trabalhar nas muralhas. Depois, impressionou tanto seu avô que ele me escolheu como seu sócio.

– A vida é boa e repleta de muitos prazeres – concluiu Sharru Nada, dirigindo-se ao seu jovem amigo. – E cada um de nós tem o seu prazer favorito. Fico feliz que o trabalho não seja algo reservado apenas aos escravos. Se fosse assim, eu seria privado do meu maior prazer. **Gosto de muitas coisas, mas nada me faz mais feliz do que o trabalho.**

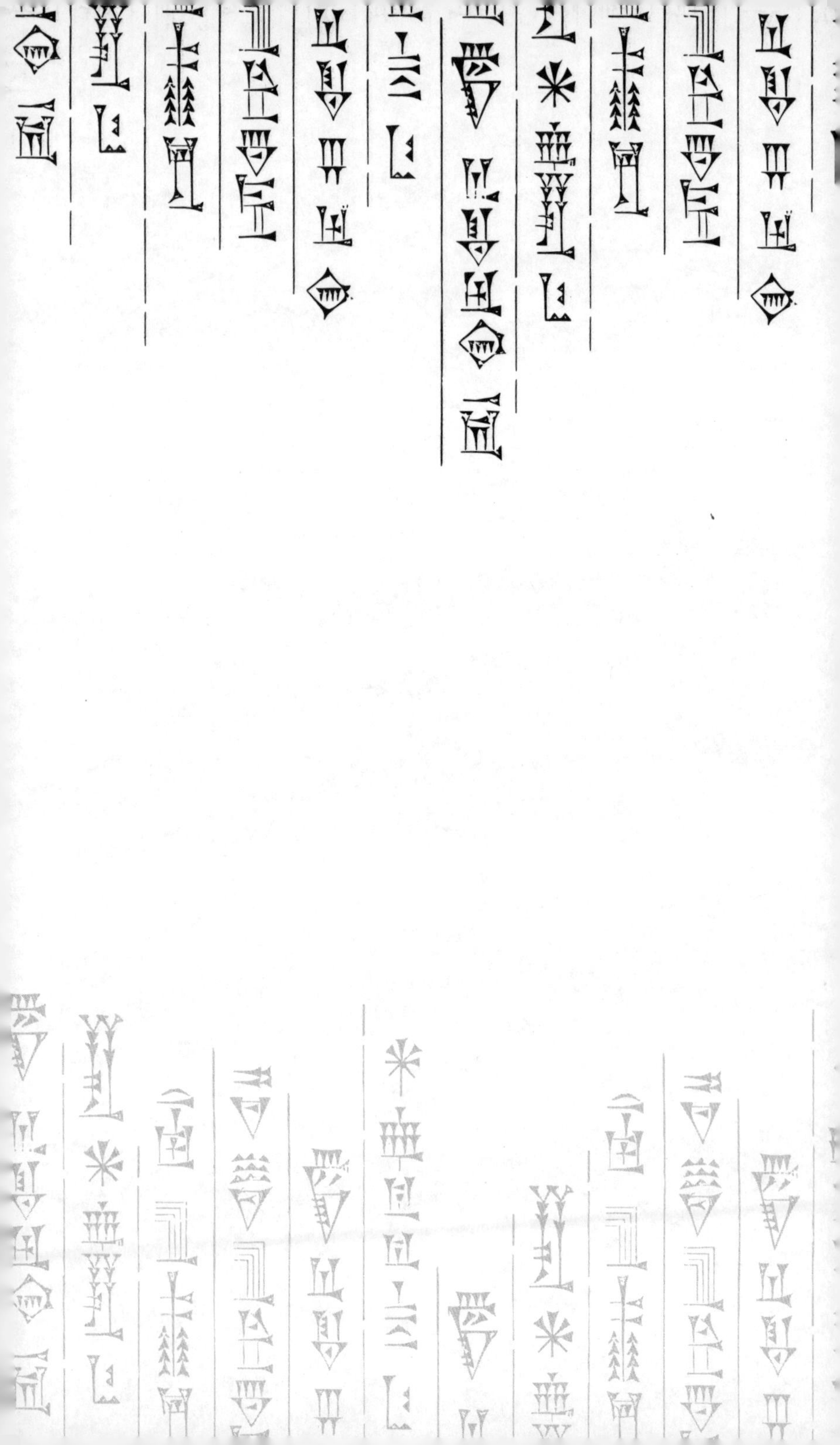

CAPÍTULO NOVE:

AS TÁBUAS DE ARGILA DA BABILÔNIA

Alfred H. Shrewsbury, um jovem arqueólogo da Universidade de Nottingham, ficou sem fôlego e fascinado diante das cinco tábuas de argila que acabavam de chegar da escavação nas ruínas da Babilônia.

Ele escreveu para os escavadores:

Vocês ficarão perplexos com a história que elas relatam. Geralmente, esperamos que o passado obscuro e distante nos fale sobre romances e aventuras. Mas quando, ao invés disso, ele revela os problemas de uma pessoa chamada Dabasir para pagar suas dívidas, percebe-se que as condições neste velho mundo não mudaram tanto nos últimos cinco mil anos.

É muito estranho, mas estas inscrições antigas parecem estar brincando comigo. Como professor universitário, eu deveria ser um ser humano pensante, detentor de um conhecimento prático sobre a maioria dos assuntos. No entanto, aqui vem esse velho sujeito das ruínas da Babilônia, oferecendo uma maneira que eu nunca tinha ouvido falar para pagar minhas dívidas e ao mesmo tempo conseguir dinheiro para encher minha carteira.

> Esse pensamento me agrada, e seria interessante verificar se isso funcionaria tão bem em nossos dias como funcionou na Babilônia. A sra. Shrewsbury e eu estamos planejando experimentar esse plano em nossas próprias finanças, que poderiam melhorar muito.

Suas traduções foram as seguintes:

Tábua Um

Hoje, nesta noite de lua cheia, eu, Dabasir, que acabei de ser libertado da escravidão na Síria, com a determinação de pagar minhas muitas dívidas e me tornar um homem digno de respeito em minha cidade natal, a Babilônia, gravo sobre esta tábua de argila um registro permanente de minhas finanças, para me guiar e ajudar a realizar meus mais altos sonhos.

Este plano inclui três propósitos, que são minha esperança e meu maior desejo.

Em primeiro lugar, este plano proporciona a minha prosperidade futura. Portanto, um décimo de tudo o que eu ganhar será separado e guardado para mim mesmo.

Em segundo lugar, sustentarei e vestirei minha boa esposa, que voltou para mim da casa de seu pai, com toda a lealdade. Cuidar bem de uma esposa leal coloca o amor-próprio no coração de um homem e acrescenta força e determinação aos seus propósitos.

Portanto, sete décimos de tudo o que eu ganhar serão usados para construir uma casa, comprar roupas para vestir e comida para comer, e ainda sobrará um pouco a mais para gastar, para que não faltem prazer e alegria em nossas vidas. Mas tomaremos o maior cuidado para que não gastemos mais do que sete décimos do que ganho nesses dignos propósitos. Nisso reside o sucesso do plano. Devo viver dessa parcela, e nada mais; e não devo comprar o que não posso pagar além dessa parcela.

Tábua Dois

Em terceiro lugar, o plano prevê que, com meus ganhos, todas as minhas dívidas serão pagas. Portanto, a cada lua cheia, dois décimos de tudo o que eu tiver ganhado serão divididos honrosa e justamente entre todos aqueles que confiaram em mim e aos quais pedi dinheiro emprestado. Assim, no devido tempo, todas as minhas dívidas estarão completamente quitadas.

Aqui o professor Shrewsbury anotou em seu bloco de notas: "O pagamento das dívidas supera a poupança. Um décimo para a poupança; dois décimos para as dívidas; sete décimos para a casa e a família".

Tábua Três

Agora que me dei conta de como posso pagar minhas dívidas com pequenas somas de meus ganhos, percebo a grande extensão de minha loucura em fugir das consequências de minhas extravagâncias.

Assim, visitei meus credores e expliquei-lhes que não tenho recursos para pagar, exceto a minha capacidade de ganhar; e que pretendo aplicar dois décimos de tudo o que eu ganhar para amortizar meu endividamento, de maneira uniforme e honesta. Isso é tudo que posso pagar, e não mais que isso. Portanto, se eles forem pacientes, no devido tempo minhas obrigações serão pagas integralmente.

Ahmar, que eu considerava meu melhor amigo, insultou-me amargamente, então afastei-me, humilhado. Birejik, o fazendeiro, suplicou que eu lhe pagasse primeiro, pois ele precisava muito de ajuda. Alkahad, o proprietário da casa, foi realmente desagradável e garantiu que me causaria problemas a menos que eu resolvesse logo a situação com ele.

Todos os demais aceitaram de bom grado a minha proposta. Portanto, estou mais determinado do que nunca a levá-la adiante, estando convencido de que é mais fácil pagar as dívidas do que as evitar.

Tábua Quatro

Mais uma lua cheia. Hoje dividi meus ganhos de acordo com o plano. Separei um décimo para guardar para mim mesmo, e sete décimos dividi com minha boa esposa, para pagar nossas despesas.

Dois décimos foram divididos entre meus credores da forma mais uniforme possível, em moedas de cobre.

Não encontrei meu amigo Ahmar, mas deixei a parte dele com sua esposa. Birejik ficou tão feliz que quis beijar minha mão. O velho Alkahad estava mal-humorado como sempre e disse que eu deveria pagar mais rápido. Respondi a ele que, se eu não tivesse outras preocupações e uma casa para sustentar, isso me permitiria pagar mais rápido. Todos os outros me agradeceram e elogiaram os meus esforços.

Portanto, ao final de uma lua, meu endividamento já está reduzido em quase quatro moedas de prata. Além disso, já consegui guardar duas moedas de prata, as quais nenhum homem pode reivindicar. Meu coração está mais leve, como eu já não sentia havia muito tempo.

Tábua Cinco

Mais uma vez brilha a lua cheia, e já faz muito tempo que não escrevo sobre a argila. Na verdade, doze luas vieram e se foram. Mas neste dia não vou negligenciar meu registro, porque hoje paguei a última das minhas dívidas. Este é o dia em que minha boa esposa e meu grato eu celebram com uma grande festa, pois nossa grande determinação foi alcançada.

Minha esposa olha para mim com um grande brilho nos olhos, o que me faz ter mais confiança em mim mesmo.

No entanto, foi o meu plano que construiu meu sucesso. Eu o recomendo a todos que desejam prosperar. Pois, em verdade, se ele permitiu que um ex-

-escravo pagasse suas dívidas e guardasse ouro em sua bolsa, quanto mais poderá ajudar qualquer pessoa a encontrar a independência? Ainda não o interrompi, pois estou convencido de que, se segui-lo adiante, serei o mais rico entre os homens.

*

Após completar sua tradução, o professor Shrewsbury escreveu novamente a seu amigo:

> Você possivelmente irá se lembrar de meus escritos de um ano atrás, quando escrevi que a sra. Shrewsbury e eu pretendíamos experimentar esse plano para sair das dívidas e, ao mesmo tempo, ter dinheiro em nossas carteiras. Você deve ter suspeitado, apesar de termos tentado esconder de nossos amigos, que estávamos em uma desesperada dificuldade.
>
> Por muitos anos, fomos assustadoramente humilhados por um monte de dívidas antigas e vivíamos preocupados, com medo de que alguns dos credores pudessem iniciar algum escândalo, o que me obrigaria a sair da universidade. Pagávamos e pagávamos – com

cada centavo que podíamos espremer de nossa renda –, e o dinheiro já não era suficiente para arcar com nosso sustento. Além disso, éramos obrigados a fazer todas as nossas compras onde conseguíamos obter mais crédito, independentemente dos custos mais altos.

Isso evoluiu para um daqueles círculos viciosos, quando as coisas se tornam piores em vez de melhorar. Todos os nossos esforços eram em vão. Não podíamos nos mudar para uma casa mais barata, porque devíamos ao locador. Parecia não haver nada que pudéssemos fazer para melhorar nossa situação.

Eis que surgiu o velho vendedor de camelos da Babilônia, com um plano para fazer exatamente o que desejávamos realizar. Ele nos convidava para seguir seu sistema. Fizemos uma lista de todas as nossas dívidas, então saí e a mostrei a todos os nossos credores.

Expliquei que era simplesmente impossível, para mim, pagá-las à vista, da maneira como as coisas estavam indo. Eles mesmos podiam ver isso, diante dos números. Expliquei então que a única maneira que eu via para pagá-los integralmente seria separar 20% de minha renda todos os meses e distribuir essa quantia entre eles, o que liquidaria todas as dívidas em pouco mais de dois anos. Nesse meio-tempo, tentaríamos pagar as despesas com nosso próprio dinheiro e daríamos preferência a eles em nossas compras mensais.

Eles ficaram realmente bem satisfeitos. Nosso vendedor de hortaliças, um velho muito esperto, foi o primeiro a aceitar a ideia e nos ajudou a convencer os demais. "Se vocês pagarem à vista por tudo o que comprarem, e ainda conseguirem abater um pouco da dívida, isso será a melhor coisa que já fizeram."

Então começamos a planejar como seria viver todos os meses com 70%. Também estávamos determinados a poupar 10%.

Fazer essa mudança foi como viver uma verdadeira aventura. Gostávamos de pensar na ideia de viver confortavelmente com os 70% restantes. Começamos com o aluguel e conseguimos uma redução justa. Em seguida, colocamos sob suspeita as nossas marcas favoritas de chá e outras frivolidades e ficamos agradavelmente surpresos em descobrir que podíamos comprar coisas de qualidade superior por um preço menor.

Conseguimos realizar o plano e nos alegramos com isso. Que alívio poder resolver nossas finanças de tal forma que não fôssemos mais perseguidos pelas dívidas passadas.

Não posso deixar, no entanto, de contar a você sobre os 10% a mais que deveríamos poupar. Bem, conseguimos fazer isso por algum tempo. Não ria ainda. Agora é que começa a parte engraçada. É realmente divertido começar a acumular um dinheiro que você não quer gastar. Há mais prazer em acumular uma reserva do que poderia haver em gastá-la.

Depois de ter poupado por alguns meses, encontramos um uso mais lucrativo para essas economias. Assumimos um consórcio, o qual podíamos pagar com esses mesmos 10% a cada mês. Isso provou ser a parte mais satisfatória de nossa recuperação. É a primeira coisa que pagamos, já praticamente descontado em folha.

Há uma sensação muito gratificante de segurança em saber que nosso investimento está crescendo de forma constante. Quando meus dias de ensino terminarem, já deveremos ter uma quantia confortável, grande o suficiente para podermos viver apenas com os rendimentos.

Tudo isso com o meu velho contracheque. Difícil de acreditar, mas absolutamente verdadeiro.

No final do próximo ano, quando todas as nossas dívidas antigas tiverem sido pagas, teremos mais dinheiro para aportar em nosso investimento, além de uma quantia extra para podermos viajar. Estamos determinados a nunca mais permitir que nossas despesas mensais de subsistência excedam 70% de nossa renda.

O homem que esculpiu aquelas tábuas tinha uma mensagem atemporal; uma mensagem tão importante que, depois de cinco mil anos, ela ressurgiu das ruínas da Babilônia, tão verdadeira e tão vital quanto no dia em que foi enterrada.

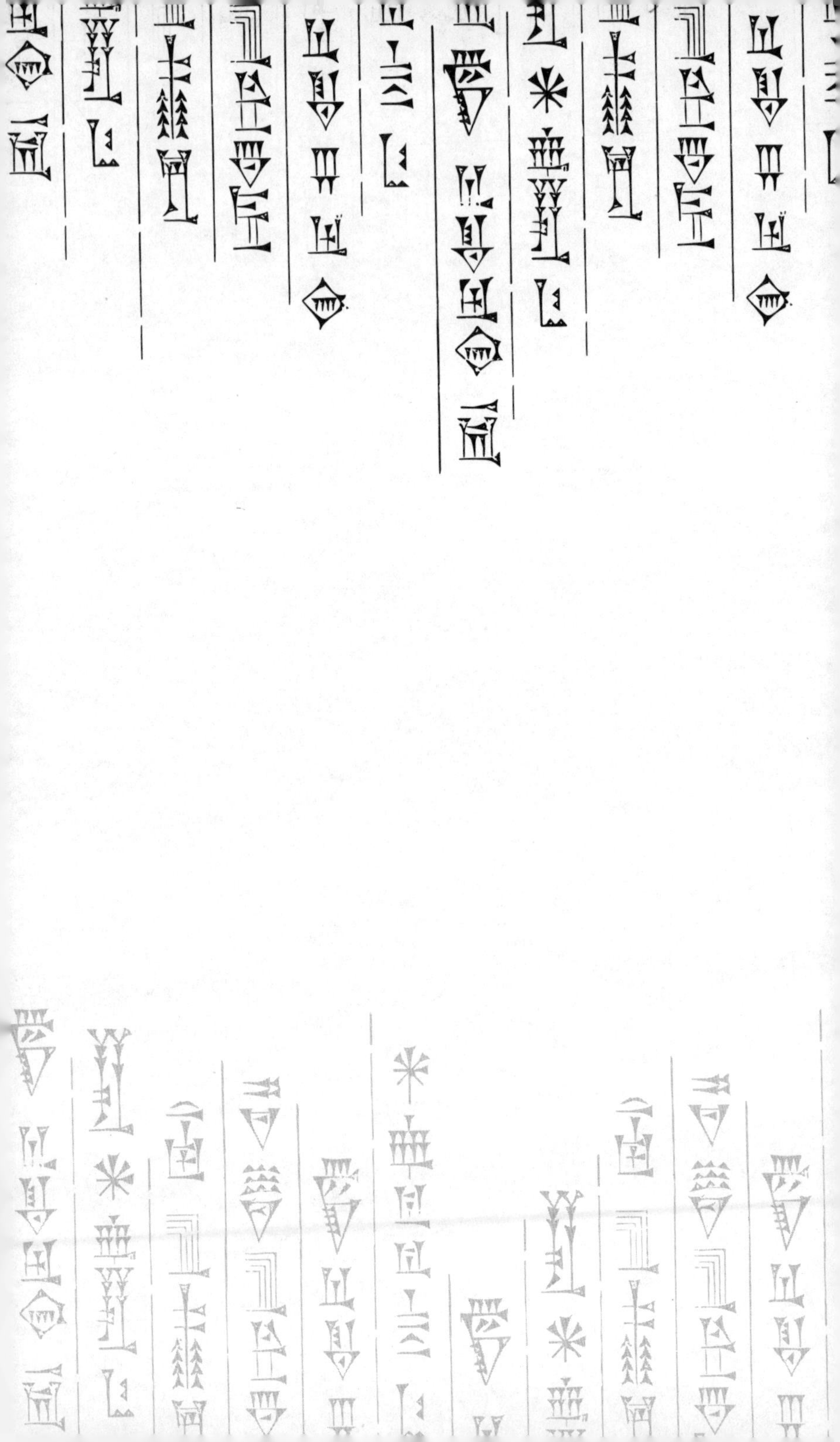

SOBRE OS AUTORES

Nascido no Missouri em 1874, **George S. Clason** estudou na Universidade de Nebraska e serviu no Exército dos EUA durante a Guerra Hispano-Americana. Logo após a guerra, fundou a *Clason Map Company* em Denver, Colorado, onde publicou o primeiro atlas rodoviário dos EUA e do Canadá. Em 1926, Clason começou a publicar uma série de panfletos sobre gestão financeira pessoal usando parábolas ficcionais ambientadas na antiga Babilônia. Seus panfletos eram distribuídos gratuitamente aos clientes de bancos e companhias de seguros. Em 1930, Clason os reuniu e publicou em forma de livro, que se tornou conhecido como *O Homem Mais Rico da Babilônia.* Clason faleceu em Napa, Califórnia, em 1957.

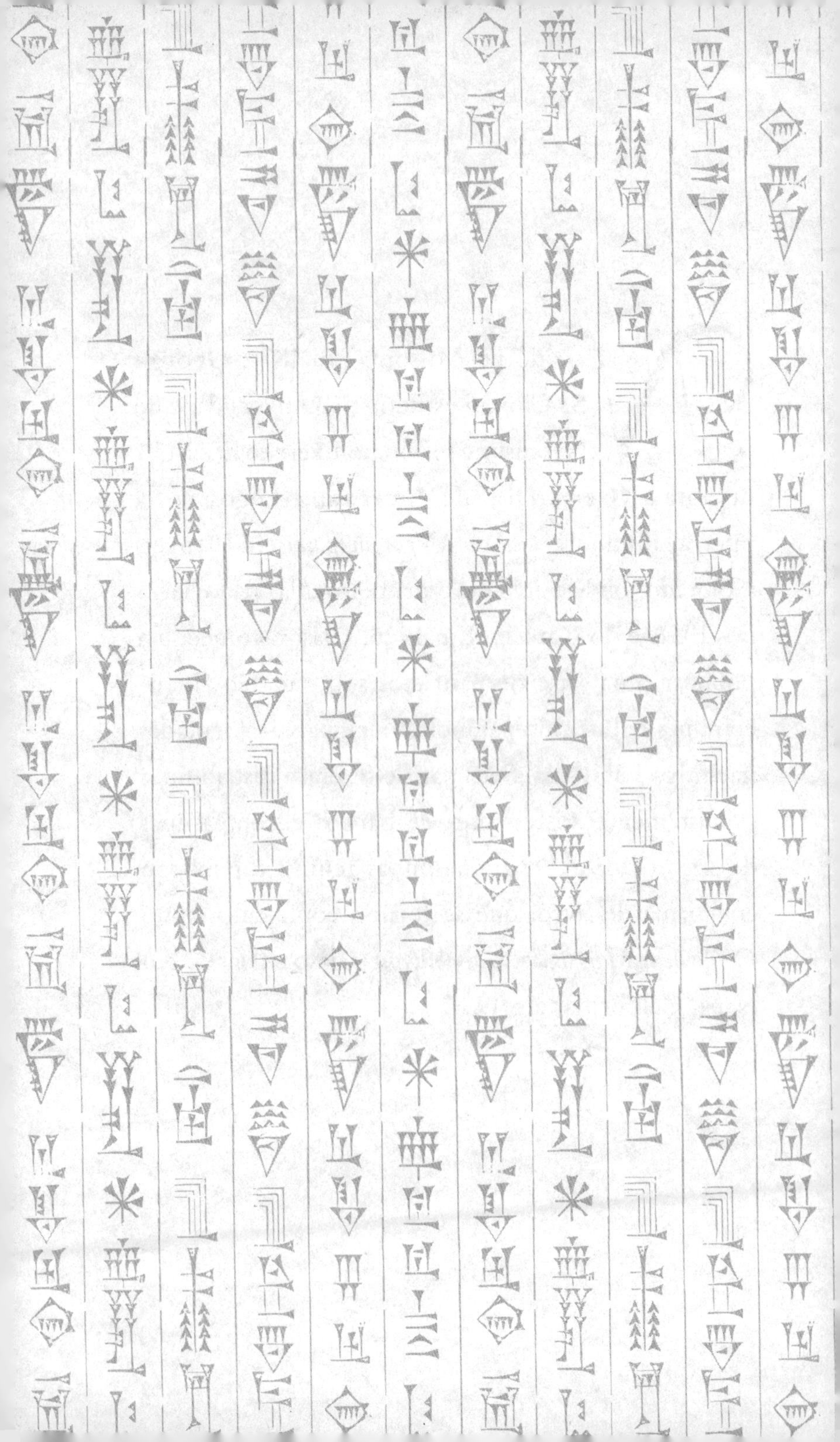

Mitch Horowitz é um autor premiado com o *PEN Awards* em virtude do sucesso de livros como *Occult America* e *The Miracle Club*. É escritor residente na Biblioteca Pública de Nova York e professor adjunto da Universidade de Pesquisa Filosófica, em Los Angeles. Mitch também apresenta e edita a linha de clássicos condensados da G&D Media e é autor de uma série de livros baseada nos ensinamentos de Napoleon Hill, incluindo *O Poder do Master Mind*. Seus títulos publicados pela G&D Media incluem *The Miracle Habits* e *The Miracle Month*.

Twitter: @MitchHorowitz
Instagram: @MitchHorowitz23

Livros para mudar o mundo. O seu mundo.

Para conhecer os nossos próximos lançamentos
e títulos disponíveis, acesse:

www.**citadel**.com.br

/citadeleditora

@citadeleditora

@citadeleditora

Citadel – Grupo Editorial

Para mais informações ou dúvidas sobre a obra,
entre em contato conosco por e-mail: